# CONTOS MOURISCOS

A magia do Oriente nas histórias portuguesas

Callis Editora Ltda.
1ª edição, 2015

Coordenação editorial: Miriam Gabbai
Editora assistente: Áine Menassi
Preparação de texto: Fernanda Guerriero Antunes
Revisão: Ricardo N. Barreiros
Projeto gráfico e diagramação: Thiago Nieri

Texto adequado às regras do novo Acordo Ortográfico da Língua Portuguesa

CIP-BRASIL. CATALOGAÇÃO-NA-FONTE
SINDICATO NACIONAL DOS EDITORES DE LIVROS, RJ

V578c

Ventura, Susana

Contos mouriscos: a magia do Oriente nas histórias portuguesas / Adaptação de Susana Ventura, Helena Gomes ; 1. ed. - São Paulo : Callis Ed., 2015.

128 p. : il. ; 23 cm.

ISBN 978-85-7416-968-2

1. Conto infantojuvenil brasileiro. I. Gomes, Helena. II. Título.

15-25910 CDD: 028.5
CDU: 087.5

26/08/2015 26/08/2015

ISBN 978-85-7416-968-2

Impresso no Brasil

2015
Callis Editora Ltda.
Rua Oscar Freire, 379, 6º andar • 01426-001 • São Paulo • SP
Tel.: 11 3068-5600 • Fax: 11 3088-3133
www.callis.com.br • vendas@callis.com.br

Adaptação de

Susana Ventura
&
Helena Gomes

# Contos Mouriscos

## A magia do Oriente nas histórias portuguesas

callis

# APRESENTAÇÃO

Este é um livro construído a partir de histórias há muito contadas, todas influenciadas pela presença árabe do século VIII ao XIV na Península Ibérica, mas, infelizmente, um tanto esquecidas em seu país de origem, Portugal. E por que voltar a elas, então? Vários são os motivos. Há belas narrativas, que merecem ser conhecidas no Brasil, cujo tema comum é a guerra por questões religiosas — assunto bastante atual e centro de inúmeras polêmicas. Representam também uma contribuição ao universo do conto popular ibérico e, principalmente, nos trazem uma boa novidade: o Oriente e seu imaginário estavam presentes nesse trecho da Europa muito antes da febre causada pela publicação da versão de *As mil e uma noites*, por Antoine Galland, na França do século XVIII.

As lutas entre árabes e cristãos, islamismo e cristianismo, ainda ocupam — talvez especialmente hoje — as páginas de noticiários. Se a presença dos árabes (ou mouros, como ficaram conhecidos no período) foi marcante na Península Ibérica desde o século VIII, e esporadicamente bem antes disso, como a mente camponesa de centenas de gerações pensou a questão por meio de contos populares?

Especificamente em Portugal, a partir do século XIX, escritores, folcloristas e historiadores como Almeida Garrett, Teófilo Braga, Leite de Vasconcelos, Consiglieri Pedroso e Ataíde Oliveira empenharam-se em recolher e publicar os relatos que ouviram por todo o país, colaborando para documentar esse rico acervo em que os personagens centrais costumam ser mouras encantadas, mouros desesperados, guerreiros, tanto cristãos quanto mouros, que se envolvem em lutas sangrentas, e camponeses a quem são apresentadas possibilidades de riqueza ou de perdição.

No século XX, Gentil Marques e Fernanda Frazão continuaram a recolher e recontar as histórias, adaptando-as aos novos gostos de leitura do público português. Finalmente, em anos recentes, uma das mais amadas escritoras portuguesas de livros para infância e juventude, Luísa Ducla Soares, descobriu, em visitas a escolas portuguesas, que já não havia quase lembranças de contos de mouras e mouros encantados. Por essa razão, coletou, coligiu e recontou contos do sul do país em publicação de 2006. Também foi nos anos 2000 que ocorreram o encontro e a publicação de um manuscrito de Almeida Garrett, com um belo poema narrativo sobre uma moura encantada numa fonte.

Passando para o campo da pesquisa científica, as mouras e os mouros encantados tornaram-se motivo para importantes estudos universitários, como os conduzidos pelo professor e folclorista João David Pinto-Correia, e de recentes dissertações de mestrado e teses de doutorado, como os trabalhos de Carmen Helena Carepo Matos Vitor (Mestrado em Educação) e, especialmente, de Maria Manuela Neves Casinha Nova (Mestrado em Estudos Portugueses), bem como o doutorado de Alexandre Parafita, hoje disponibilizado em livro. No Brasil, a figura do mouro na literatura portuguesa vem sendo estudada em profundidade pela professora Carla Carvalho Alves (Doutorado em Letras).

Foram essas as referências de pesquisa que nos encantaram e nos levaram a sonhar um livro de contos mouriscos que revelasse esse Oriente presente nos contos populares portugueses, em seu imaginário próprio e fascinante, repleto de cavernas com palácios e tesouros, e mouras e mouros que esperam pela redenção e desejam a volta para a África de origem. Fomos apresentadas ao cotidiano vivo da guerra entre árabes e cristãos, com a coragem requerida a todo o tempo.

Muitas decisões e dúvidas cercam esses contos adaptados por nós especialmente para os jovens leitores. Lutar ou fugir? Deixar tesouros para trás ou encantar alguém para tomar conta da riqueza até um possível retorno? Afinal, quem é herói e quem é vilão nessa história toda?

Você logo descobrirá, porque aqui começam nossos *Contos mouriscos.*

# Sumário

# A MOURA ENCANTADA

A realidade perdeu-se na memória da jovem moura. Das lembranças de que gostava, nada restou. Das recordações doloridas, só uma sobreviveu: o pai lançando-lhe um encanto antes de partir daquelas terras retomadas pelos portugueses.

A moura, então, ali permaneceu, transformada numa cobra, como guardiã do vasto tesouro que o pai acumulara e não teve como levar.

— Até que eu volte, tomarás conta do que me pertence — ele disse.

Porém, jamais retornou.

E a moura, prisioneira de tão terrível encantamento, viveu anos e anos, décadas e mais de um século sem envelhecer, apenas acompanhando a passagem do tempo e esquecendo quem era, o ser e o sentir que fazem cada um único no universo.

Sua vida limitava-se a vigiar o tesouro numa caverna subterrânea, inacessível e invisível aos olhos dos humanos, bem ao lado de uma fonte. Havia, no entanto, um momento, uma vez ao ano, em que a moura retomava a aparência humana e podia sair para se banhar.

Na aurora do Dia de São João.

Uma oportunidade mágica para ela, pois reencontrava a liberdade, ao menos por breves minutos. No entanto, também era uma oportunidade mágica para quem tivesse a sorte de encontrá-la.

Nas redondezas da fonte, moravam três irmãos pastores. Viviam uma rotina simples, de muito trabalho e pouco dinheiro.

Quis o destino que a moura encantada mudasse o presente e o futuro desses rapazes.

No final de uma madrugada, quando o sol nascia para receber mais um Dia de São João, o irmão mais velho despertou e, inquieto, resolveu sair de casa para uma caminhada. Logo avistou a moura junto à fonte, penteando seus longos cabelos negros com um pente de ouro.

Ele respirou fundo e foi ao seu encontro. Não reparou na beleza da moura nem se interessou em conhecer sua história. Enxergava apenas a presença sobrenatural de uma criatura que, como todos sabiam, teria de atender a qualquer pedido que lhe fizessem, igual a um gênio preso numa lâmpada, se fosse apanhada em sua forma humana.

— Tira-me desta vida que levo — ele mandou, ansioso.

Após desembaraçar os últimos fios, a moura interrompeu o movimento do pente e fitou o rapaz com atenção. Enxergou apenas ganância em seus olhos azuis.

— Podes ser rico, ter poder ou encontrar a felicidade — disse, numa voz cansada. — O que desejas para ti?

Ele não titubeou.

— Desejo ser rico!

Sem pressa, a moura tirou do bolso do vestido uma chave de ouro e, com a ponta do objeto, deu três batidas leves numa das rochas ao redor da fonte. No mesmo instante, abriu-se a passagem para a caverna subterrânea.

— Pastor, entra e recolhe o mais depressa que puder todo o ouro que consigas carregar.

Assim ele fez. Encheu os bolsos de pedras preciosas, pendurou no pescoço inúmeros colares de ouro e prata, colocou nos dedos todos os anéis que conseguiu recolher; nos pulsos, o maior número possível de pulseiras. Ocupou as mãos e o vão entre o corpo e os braços com todo tipo de objeto de valor. No retorno à superfície, estava tão pesado que mal podia andar.

Não quis ver as lágrimas da moura, que voltaria a ser cobra e sumiria na caverna antes de a passagem se fechar por mais um ano. O sofrimento dela não importava. Aliás, ninguém mais importava. Ele esqueceu os irmãos e foi em frente, sem olhar para trás, em direção à aldeia mais distante. Nunca mais retornou.

Quando os dois irmãos acordaram, deram pela falta do mais velho. Passaram dias à sua procura, aflitos, acreditando no pior.

As semanas esgotaram-se, os meses terminaram e nenhuma notícia trouxe-lhes sossego. Até que, numa nova aurora do Dia de São João, o irmão do meio resolveu dar uma caminhada. O caçula fez de conta que dormia e, depois que o outro saiu, seguiu-o a alguma distância.

O irmão do meio logo avistou a moura junto à fonte, penteando seus longos cabelos negros com um pente de ouro.

Ele respirou fundo e foi ao seu encontro. Não reparou na beleza da moura nem se interessou em conhecer sua história. Enxergava apenas a presença sobrenatural de uma criatura que, como todos sabiam, teria de atender a qualquer pedido que lhe fizessem se fosse apanhada em sua forma humana.

— Tira-me desta vida que levo — ele ordenou, bastante seguro de si.

Após desembaraçar os últimos fios, a moura interrompeu o movimento do pente e fitou o rapaz com atenção. Enxergou apenas ambição em seus olhos verdes.

— Podes ser rico, ter poder ou encontrar a felicidade — avisou, numa voz neutra. — O que desejas para ti?

Ele não hesitou.

— Desejo ter poder!

Sem pressa, a moura tirou do bolso do vestido um cetro de ouro, que entregou ao rapaz.

— Pastor, escolhe um reino que te agrade, bate o cetro de leve três vezes no chão e o castelo do rei será teu. Terás um exército e vassalos que te obedecerão.

Assim ele fez. Não quis ver as lágrimas da moura, pois o sofrimento dela não importava. Aliás, ninguém mais importava. Ele esqueceu o irmão caçula e foi em frente, sem olhar para trás, em direção a um reino muito distante. Dele seria senhor e rei, o mais poderoso que já existiu. Nunca mais retornou.

O irmão caçula, que de longe observava a cena, não interferiu na decisão do irmão do meio. Deduziu que o irmão mais velho tivesse feito a própria escolha.

E ele, o irmão caçula, o que escolheria? Riquezas ou poder? Ah, poderia decidir com tranquilidade... Ainda teria um ano inteiro pela frente antes da sua oportunidade de encontrar a moura.

Ia dar meia-volta, mas a curiosidade o deteve. A moura tirava do bolso do vestido uma chave de ouro, que usou para bater três vezes no chão. Uma passagem abriu-se. “É uma caverna subterrânea!”, ele constatou, impressionado. Sem dúvida, o esconderijo de algum vasto tesouro.

O rapaz entrelaçou os dedos das mãos e estalou-os, satisfeito. Já planejava levar sacolas, várias delas, para abarrotá-las de preciosidades quando sua vez chegasse e... Foi somente nesse instante que reparou no rosto feminino, tão triste. Com um calafrio, o rapaz acompanhou a mutação implacável que viria. A moura contorceu-se de dor, sufocou um grito e encolheu até se transformar, com roupa e tudo, numa cobra. E como cobra ela entrou na caverna, uma prisioneira até a aurora do próximo Dia de São João.

“Quem será que a encantou?”, pensou o rapaz. “Por que fez isso?”

As perguntas preencheram sua mente naquele dia e nos seguintes. Em busca de respostas, conversou com os anciões de sua aldeia e das vizinhas, atrás das informações que os contos mais antigos pudessem fornecer. Não demorou a descobrir a história de uma jovem moura que, mais de um século antes, fora encantada pelo pai para que tomasse conta de seu tesouro. Expulso pelos cristãos, ele nunca pudera recuperá-lo e, claro, libertar a filha.

"Que tipo de pai faria essa maldade com a própria filha?", revoltou-se o rapaz. "Um monstro, na certa!"

E foi assim que a moura ganhou importância em seus pensamentos, no senso de justiça e, por fim, em seu coração. Imaginava-a sofrendo sozinha na caverna, perdida naquela escuridão, sonhando com o momento, tão breve e cheio de liberdade, que experimentava somente uma vez ao ano.

Se, na próxima aurora do Dia de São João, escolheria riqueza ou poder, ele não decidiu.

Só pensava na moura.

Quando a data chegou, o rapaz não conseguiu dormir. De madrugada ainda, foi até a fonte e lá esperou pelo nascer daquele dia especial.

Com os primeiros raios de sol, a passagem abriu-se para que a cobra viesse à superfície. A seguir, fechou-se, quase ao mesmo tempo que a aparência réptil dava lugar à humana.

O rapaz prendeu a respiração. Não se recordava de quanto a moura era bonita.

— Bom dia! — ele cumprimentou.

Ela piscou, aturdida. Depois, lançou um olhar rápido para a fonte. Teria de atender rapidamente ao pedido do rapaz se quisesse ter tempo para se banhar. Caso contrário, só haveria uma nova chance dali a um ano.

— Podes ser rico, ter poder ou encontrar a felicidade — apressou-se em oferecer. — O que desejas para ti?

Ele sorriu.

Não trouxera as sacolas para recolher quanto desejasse do tesouro. Aliás, nem pensava nele. Também não pensava no reino distante que poderia governar.

— Desejo tua felicidade — respondeu.

Sem entender, a moura fitou-o com atenção. Enxergou apenas amor em seus olhos negros.

— Tens certeza? — ela quis confirmar.

— Serás feliz se tiveres tua liberdade, não?

— Sim, mas...

— Há algo mais que eu precise fazer para te libertar?

Trêmula, ela buscou a chave de ouro no bolso do vestido. Pegou-a e, perplexa, viu-a desmanchar-se no ar. O encantamento abandonou-a, da mesma forma que a aura de criatura sobrenatural. A realidade invadia sua memória. Uma a uma, vieram as lembranças de que mais gostava. As outras seguiram o rastro, lembrando-lhe de quem era, do ser e sentir que fazem cada um único no universo.

A moura retomava sua essência humana.

— Já me libertaste...

Lágrimas de alegria inundaram-lhe o rosto e nublaram a visão que tinha do rapaz diante de si. Não haveria mais tesouro para vigiar e pedidos a atender. A partir daquele momento, a caverna subterrânea também era inacessível e invisível para ela.

— Eu sou livre — murmurou.

Sentiu a felicidade estourar dentro de seu coração, espalhando-se por cada ponto do corpo. No horizonte, o sol ampliava luz e calor para uma manhã clara, um novo dia que, enfim, a moura viveria por inteiro.

Ela secou as lágrimas com as costas das mãos e sorriu para o rapaz que a libertara. Emocionado, ele se segurava para não abraçá-la, temendo ser mal interpretado. Afinal, para a moura, o rapaz não passava de mais um desconhecido. Para ele, entretanto, ela era a garota dos sonhos que se tornara real, de carne e osso. Alguém que, torcia, talvez se apaixonasse por ele, quisesse envelhecer ao seu lado e...

— E agora? — a moura perguntou, pálida de repente, o medo ameaçando destruir a felicidade.

— Agora o quê?

— O que faço com minha liberdade?

Quis o destino que o rapaz caçula mudasse não apenas o presente, mas também o futuro da moura. Ele abriu um novo sorriso e, num gesto tímido, lhe estendeu a mão.

— Vem, vou te mostrar — convidou. — Há um mundo inteiro à tua espera.

# A PARTEIRA DE SANTARÉM

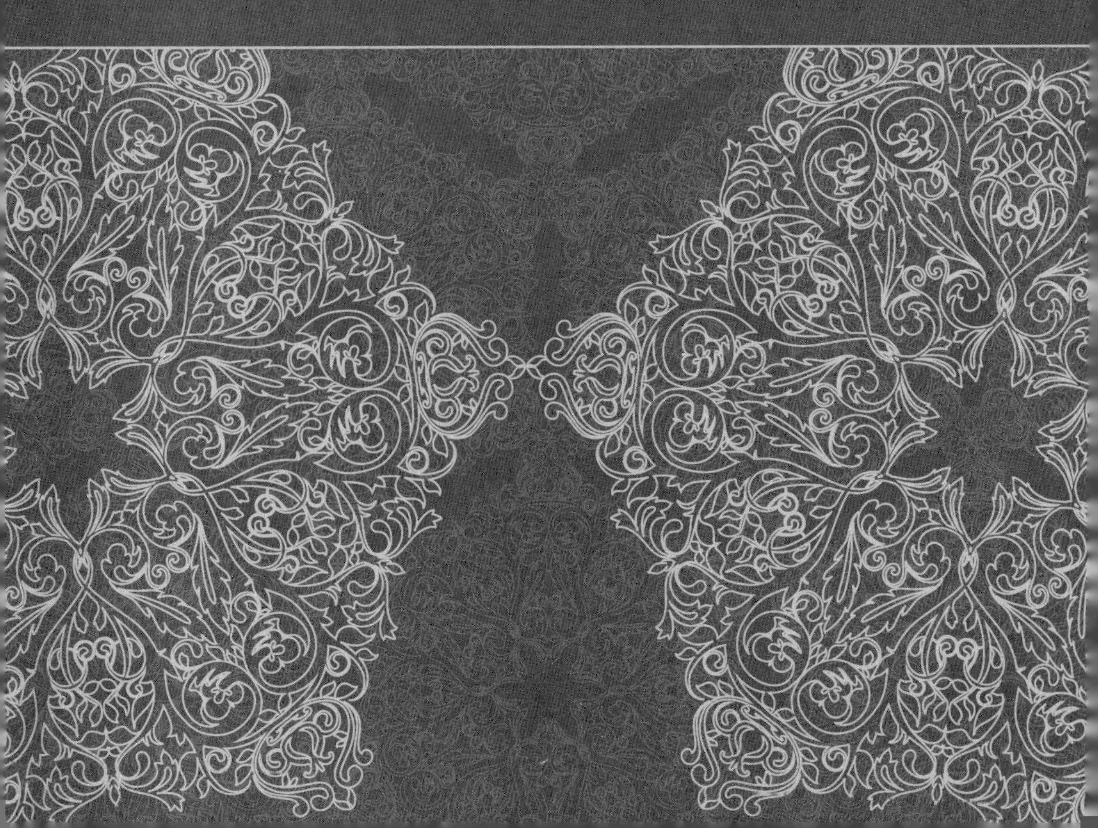

Detrás daquela serra, que vemos agora verdinha porque é primavera, ainda há poucos anos, aconteceu uma nova história mourisca. Era inverno e todos estavam encolhidos em suas casas, junto às lareiras. Nevava com intensidade. Numa casa muito humilde havia um casal de velhinhos que, após tomar seu caldo verde, entretinha-se a olhar para as brasas e a lembrar os tempos de juventude.

Inesperadamente, uma forte pancada anunciou uma visita.

— Quem será neste tempo tão mau? — perguntou o velho senhor. — Melhor é nem abrirmos, façamos de conta que já fomos dormir.

A senhora levantou-se num salto.

— Nada disso, meu marido. Antes de tudo, sou parteira. Vá que seja alguém que tenha vindo me chamar para ajudar alguma criancinha a vir para este mundo. Vou já abrir.

Disse isto e, num minuto, destrancava e abria a porta. Do lado de fora, um rapaz alto, bonito e desconhecido estava embrulhado num capote, já meio coberto de neve.

— Boa noite! É aqui que vive a parteira?

Ela o convidou a entrar, o que ele recusou. Precisava de ajuda com urgência, pois sua esposa estava prestes a dar à luz.

O dono da casa aproximou-se da porta:

— Mas, meu senhor, quem sois? Não sois daqui da aldeia, pois não? Nunca vos vi antes...

O visitante falou, tomado de impaciência:

— Por favor, minha mulher precisa de ajuda. Disseram-me que aqui vivia a melhor parteira da região. Por caridade, minha senhora, peço-vos que me acompanheis agora mesmo!

O casal entreolhou-se por alguns instantes, mas a parteira acabou por se decidir: iria atender à parturiente. Que o jovem marido esperasse um momento, enquanto ela punha seu velho agasalho e pegava seus apetrechos de parteira.

Saíram ambos na pior nevasca vista por ali nos últimos anos e subiram no cavalo que o rapaz apontou. Levando-a na garupa com seus instrumentos, ele partiu num galope serra acima.

A parteira pensava, preocupada, para onde é que ele se dirigia; não existiam mais moradas para aqueles altos. Porém nem havia como perguntar nada. A neve caía, os ventos eram intensos e impediriam qualquer comunicação entre ela e o cavaleiro.

De repente, no alto mesmo de um penhasco, eles pararam.

O rapaz desmontou e amparou a descida da sua acompanhante.

— Mas, meu senhor, aonde é que vamos? — ela perguntou. — Não há nada aqui!

— Enganai-vos, boa senhora. Chegamos à minha morada.

Estendeu sua mão, tocou uma grande rocha, que rodou e mostrou-se oca. A enorme cavidade abrigava paredes decoradas com pedras preciosas, que acompanhavam uma escada dourada que ia terra abaixo.

— Oh! — exclamou a parteira. — Que escada tão funda! Como hei de descer, tão enregelada estou, com meus joelhos já tão gastos pelo tempo?

O rapaz tomou-a pelo braço.

— Não vos preocupeis, minha senhora. Fiquemos parados aqui e a escada mesmo nos descerá até o meu palácio.

Assim foi. Chegando às portas do palácio, eles foram saudados por dois guardas vestidos com roupas coloridas e suntuosas, os cabelos encimados por turbantes. A parteira deu-se conta do que se passava.

— Meu rapaz, vós sois um mouro encantado! E este palácio está no fundo da terra! Valha-me, Deus!

— Senhora, tudo nos separa: nossas crenças, nossas religiões, nosso modo de viver. Mas, neste momento, há uma criança que precisa vir ao mundo e minha mulher sofre. Ajudai-nos e não tereis do que vos arrepender.

Os dois atravessaram salões ricamente decorados até chegarem aos aposentos do casal. Lá, a parteira encontrou a jovem esposa muito aflita, assistida por duas aias com um ar já cansado.

Tranquilizou-a:

— Então, é chegada a boa hora? Vamos lá ver o que fazemos!

Experiente na arte de trazer crianças ao mundo com seu saber, sua paciência e sua antiga tesoura, ajudou a nascer um robusto menino. A mãe olhava-a, feliz, enquanto apertava carinhosamente o filho nos braços.

O rapaz beijou a esposa e o filho e fez um sinal para a parteira. Estava na hora de partir.

— Boa senhora, não terei jamais como agradecer a vossa bondade...

Ela, guardando seus apetrechos na surrada sacola que sempre levava consigo, respondeu:

— Meu jovem, não há pelo que agradecer. Só fiz o que sabia fazer.

Juntos, cruzaram os salões. De braços dados, pararam sobre o primeiro degrau da escada, que subiu sozinha. Montaram no cavalo e voltaram a galope para a casinha humilde da parteira e de seu marido.

— Minha senhora, neste cesto está vosso pagamento — despediu-se o rapaz. — Vossa generosidade impediu a morte de minha mulher e de meu filho. Adeus, e felicidades!

Montou rapidamente no cavalo e desapareceu em meio à nevasca, que não cessava. A parteira, na porta de casa, olhou para dentro do cesto e nada viu.

— Deve ser carvão e vem em boa hora, porque faz muito frio para irmos atrás de lenha.

Entrou arrastando o pesado cesto. O marido dormia junto ao fogo, já quase só brasas.

Ela abriu o cesto para se servir de algum carvão que avivasse a lareira, e qual não foi sua surpresa ao se deparar com uma quantidade incrível de moedas e barras do mais puro ouro!

O casal viveu ainda bons anos, com conforto e abundância. A parteira, esta, era vista muitas vezes no alto da montanha, conversando com os rochedos. Ninguém na aldeia, somente eu e os dois velhotes, sabíamos da verdade: ali estava mais um rochedo onde viviam mouros encantados desde os tempos mais antigos das lutas entre mouros e cristãos em terras portuguesas.

# A MULHER E O SAPO

Certa noite, uma mulher sonhou que havia um caldeirão cheio de ouro, enterrado junto a uma figueira no seu quintal. Assim que acordou pela manhã, foi correndo verificar a história. Cavou aqui e ali, entre as raízes da árvore, e nada encontrou.

— Foi só minha imaginação! — resmungou, contrariada.

Ah, se aquele tesouro realmente existisse... Ela vivia sozinha, numa casinha muito pobre, sobrevivendo apenas de sua pequena produção de hortaliças e da meia dúzia de galinhas que lhe fornecia ovos. Uma miséria só.

Naquela noite, teve o mesmo sonho, mas com uma diferença: nele estava um charmoso rapaz mouro que vigiava o caldeirão.

— Queres meu tesouro? — ele lhe disse, enigmático. — Pois vem me libertar!

Imediatamente o sono foi interrompido, a mulher pulou da cama, pôs um xale por cima da camisola e saiu em disparada até a figueira. Não encontrou o mouro, e sim um sapo imenso e repugnante, bem em cima de um caldeirão abarrotado de moedas de ouro.

— Se queres meu tesouro — ele lhe disse, gosmento —, deves me beijar.

A mulher engoliu em seco. Beijar... *aquilo*?!

Seu estômago ficou embrulhado pelo nojo e ela fugiu, as pernas na maior velocidade possível, antes que vomitasse. Acabou refugiada em sua cama, debaixo dos lençóis, tremendo.

Beijar um sapo... Onde já se viu tamanha nojeira?

Não conseguiu mais dormir. O dia nasceu e seguiu arrastado, sem perspectivas. A mulher pensava no futuro, que seria igual ao presente. Sempre com fome de mais alimentos, de mais conforto, de melhores condições de vida.

Beijar um sapo... Talvez não fosse tão ruim.

À noite, ela custou a dormir. E, quando conseguiu, no mesmo instante o sonho dominou-a. O mouro estava furioso com sua fuga, culpando-a por ter dobrado o tempo dele de encantamento ao não querer desencantá-lo.

— Se queres meu tesouro — ele lhe disse, incisivo —, deves me beijar.

Beijar um rapaz bonitão não era problema algum. O problema era beijar o tal sapo. Foi então que a mulher entendeu: algum encantamento transformara o mouro no sapo asqueroso e desse jeito ele ficou vigiando o tesouro até que alguém tivesse coragem de libertá-lo.

Ao despertar pela manhã, ela decidiu esquecer o assunto, mas o sapo não permitia, toda hora voltando à sua mente e dando-lhe vontade de vomitar. Jamais conseguiria beijá-lo.

Novamente à noite, após adormecer, teve o mesmo sonho.

— Se queres meu tesouro — o mouro ofereceu, tentando mais uma vez convencê-la —, deves me beijar.

Beijar um sapo... E por que não? Precisava daquelas moedas de ouro para mudar de vida. Era só deixar o nojo de lado e encarar o desafio.

A mulher despertou, decidida, ergueu-se da cama, pôs o xale por cima da camisola e rumou até a figueira.

O sapo estava lá e o tesouro também.

— Serás punida por tua hesitação — ele avisou.

— Mas receberei o tesouro?

— Sim. E também me libertarás.

Ela inspirou muito ar, soltou-o pelas narinas, controlou a ânsia de vômito, reuniu coragem, fez biquinho e se inclinou para alcançar o sapo.

Seus lábios tocaram-lhe a boca, beijaram-no... A punição veio instantaneamente. Um dos olhos da mulher saltou para longe, deixando-a parcialmente cega. Horrorizada e com muita dor, ela ainda conseguiu ver, antes de desmaiar, o sapo transformar-se no mouro e ser desencantado.

Voltou a si apenas ao nascer do sol, vigiada pelo mouro, que se sentara ao seu lado.

— Como te sentes? — ele disse, preocupado.

Estranhamente, ela não sentia mais dor. Com o olho que lhe sobrara, fitou-o em silêncio.

Ao vê-la bem e capaz de se cuidar sozinha, o mouro levantou-se.

— Agora estás rica — refletiu, indicando-lhe o caldeirão cheio de ouro. — Mas perdeste uma parte do teu corpo. Esse sacrifício valeu a pena?

Uma pergunta que ela não soube responder.

O mouro suspirou, cansado, e, ainda com a mulher preenchendo-lhe a visão, desapareceu no ar, a magia transportando-o a seu distante Oriente.

# O MAGO E SEU APRENDIZ

Era uma vez um poderoso mago que, precisando de ajuda, tomou seu sobrinho como aprendiz. No entanto, quase nada ensinava ao rapaz. Este, esperto como só ele, tudo ia observando e aprendendo. Meses se passaram naqueles tempos antigos, tempos em que os que ali viviam ficaram conhecidos por mouros. Tempos intranquilos também, uma vez que, já ameaçados pelas invasões de cristãos, viviam em ajuntamentos, as moiramas. Num belo dia, o mago, convocado pelo rei de uma moirama distante, precisou fazer uma viagem. Então, chamou o aprendiz.

— Meu sobrinho, aqui estão as chaves da casa, mas presta muita atenção — disse. — Estas duas chaves aqui, menores do que as outras, são das duas portas no final do corredor. Não as abras em hipótese alguma, ou morrerás!

O aprendiz ficou alerta. Aquelas eram as duas portas que estavam sempre trancadas! Ele bem que tentara saber o que havia atrás delas, mas o tio jamais as abria nem falava sobre elas. O mago, notando a alteração do aprendiz, imaginou logo que ele estivesse distraído:

— Estás sonhando acordado? Vamos, presta atenção porque preciso partir. Deves limpar o laboratório, arrumar as estantes de livros e manter o jardim de ervas bem regado.

O aprendiz concordou com tudo, guardou o chaveiro no bolso do avental e acompanhou o mago até a porta. Viu-o montar o cavalo e partir a galope.

Nem esperou a poeira assentar de volta no chão. Foi até uma das portas no final do corredor, localizou no chaveiro uma das chaves menores e foi encaixando no vão da fechadura.

Sorriu. Acertara na primeira tentativa, a chave virava sem esforço. Torceu a maçaneta e entrou.

Apesar da escuridão, ele logo percebeu que estava num campo. Podia sentir o vento soprando... Conseguiu distinguir a silhueta de alguns pinheiros à esquerda e, ao longe, avistou a fumaça que devia subir de alguma chaminé próxima. Caminhou alguns instantes e então notou dois olhos amarelos, que brilhavam. Os olhos tomaram movimento e impulso e, de repente, o aprendiz percebeu um lobo, que saltou em sua direção. Correu desesperado e, no instante seguinte, encontrava-se novamente diante da porta, em casa. E pior: frente a frente com o mago.

— És louco! Por que abriste esta porta? Não avisei para não fazeres isto? Para tua sorte, esqueci um livro de que preciso, senão estarias morto!

O aprendiz desculpou-se muito, disse que entendera mal, estava distraído quando o tio dera as instruções. Tinha compreendido que havia estantes de livros para arrumar nos dois quartos do fundo...

O mago grunhiu um pouco, mas aceitou as desculpas.

— Bom, sobrinho, já peguei o livro e vou partir agora. Presta atenção: nunca, jamais, abras nenhuma dessas duas portas, porque atrás delas encontrarás a morte! Ouviste bem?

O aprendiz fez que sim com a cabeça e acompanhou novamente o tio até a porta de casa. Durante o resto daquele dia, como o susto fora grande, ele só pensava nos olhos amarelos do lobo.

Na manhã seguinte, acordou ainda se lembrando do lobo. Foi limpar o laboratório, cuidou do jardim de ervas e pensou novamente nas duas portas ao fundo do corredor... O que haveria atrás da segunda porta?

Não levou muito tempo pensando. Foi até o fundo do corredor, pegou o chaveiro, experimentou uma das chaves na fechadura da segunda porta. Chave errada. Respirou fundo. Talvez fosse melhor desistir, mas desistir significava não saber... Escolheu a outra chave, esta sim, com certeza, a chave certa. Foi em frente. Encaixou a segunda chave, girou.

Abriu a porta e entrou.

Do lado de dentro era dia. Um campo lindo abria-se diante dele. À esquerda havia pinheiros; em frente e ao longe, uma montanha; e, antes dela, uma casinha com uma chaminé. Seria o mesmo lugar em que estivera, só que agora era dia? A pouca distância, um cavalo branco, lindo, pastava com toda a calma. De repente, um ruído do outro lado da porta desviou a atenção do aprendiz. Era, sem dúvida, o tio que voltava. Com o susto, gritou:

— Ai, que estou perdido!

Para sua surpresa, o cavalo branco respondeu:

— Rápido! Apanha no chão um ramo, uma pedra e um punhado de areia e iremos embora num instante!

O aprendiz não pensou duas vezes. Obedeceu às ordens do cavalo, montou e nem bem o fez ouviu a porta se abrir.

— Corre, cavalinho, corre! Aí vem meu tio para me matar!

O cavalo branco disparou. O aprendiz olhou para trás e lá vinha o tio. Ele montara num cavalo negro e já estava perto deles.

— Ai, que ele nos alcança!

— Joga o ramo, rápido! — disse o cavalo.

O aprendiz lançou o ramo na estrada e logo viu se formar uma floresta muito fechada, que barrou a passagem do tio. Seguiram viagem e, dali a pouco, o aprendiz divisou novamente o tio em seu cavalo negro.

— Ai, que meu tio vem aí novamente!

O cavalo ordenou-lhe que jogasse a pedra fora.

— Rápido, e bem na direção dele! — acrescentou.

Assim foi feito e, de pronto, levantou-se uma grande serra, que o mago teria de atravessar. Galoparam com mais vagar por algum tempo até que, mais uma vez, o aprendiz percebeu que vinha o tio em seu encalço.

— Cavalinho branco, e agora? Aí vem meu tio. Ai, que ele me mata!

— Joga o punhado de areia ao vento e já verás o que acontece.

Ele assim fez e de imediato se formou um grande mar, que não pôde ser atravessado pelo mago.

— Os magos não atravessam o mar, seu poder não nos alcança mais — disse o cavalo. — Estás livre!

O aprendiz respirou aliviado. Mas e agora? O que faria? Perguntou ao cavalo, que respondeu logo:

— Vamos andar até que teu destino se apresente!

Assim fizeram. Andaram, andaram, andaram, até que chegaram a uma vila em que todos os moradores estavam muito tristes. Pelas ruas ouviam os lamentos:

— Ai de nós, que tristeza!

— Pobrezinha, o que será dela?

— Triste fim para a princesa. O que será do reino agora?

O cavalo disse ao aprendiz:

— Chegamos. Aqui te deixo para encontrares teu destino. Apeia e segue, eu já fiz a minha parte. No entanto, se por acaso te vires em aflição, grita "Vale-me, meu cavalinho", e eu aparecerei para ajudar-te.

O aprendiz obedeceu. Apeou do cavalo, agradeceu pela ajuda e pôs-se a andar pela vila. Por onde passava, ouvia palavras tristes e testemunhava lágrimas. Junto à fonte, viu uma velha senhora que enchia um cântaro d'água e resolveu perguntar a ela:

— Bom dia, minha senhora! Acabo de chegar a esta terra e vejo que todos estão tão tristes... O que há aqui?

— Ai, meu rapaz, o que há é que a princesa foi levada por um gigante para sua ilha, aonde homem nenhum pode chegar!

Ele não esperou mais. Ali estava, com toda a certeza, o seu destino. Foi diante do rei e disse que traria a princesa de volta, se tivesse como recompensa sua mão em casamento. O rei, desesperado para ver a filha de volta, aceitou a proposta de imediato.

— Valei-me, meu cavalinho! — gritou o aprendiz.

E o cavalo apareceu à sua frente:

— Mas já? Em que aflição estás?

O aprendiz explicou o caso. Bastava acharem a ilha, vencerem o gigante, salvarem a princesa e trazerem-na de volta!

O cavalinho branco concordou com tudo e lá foram eles. Com sorte, encontraram uma balsa, foram para a ilha e ali entraram no castelo bem na hora em que o gigante dormia. Resgataram a princesa e voltaram num galope doido, chegando ao reino ainda a tempo da ceia. Naquela mesma noite, foi anunciado o casamento do aprendiz com a princesa.

O cavalinho ficou dali por diante descansando nas cavalariças reais e foi tão feliz quanto o jovem casal, que reinou por muitos e muitos anos.

# TRÊS ANOS NA MOIRAMA

"Três anos era um longo tempo."

Assim pensava o rapaz enquanto moldava mais um vaso. Assim era sua vida havia três anos: moldar e preparar vasos, pratos, panelas, copos... Todas as manhãs, duas moças traziam o barro já preparado, liso e sem grumos, e ele olhava para elas pensando na sua mulher, tão distante de seus olhos, tão longe de seus braços. Então, começava seu dia de trabalho, a que se seguia a noite na cela da prisão, alimentado pelo seu passado, que agora parecia tão bonito, e pela esperança de, um dia, recobrar a liberdade.

"Três anos desde a batalha em que lutara ao lado dos cristãos. Lutara e perdera. Agora estava tão longe de casa..."

Uma sombra instalou-se, bloqueando o sol que banhava suas mãos modelando o prato e interrompendo-lhe os pensamentos. O prisioneiro não levantou os olhos, continuou no trabalho, mas atento à presença humana em pé à sua frente.

A voz chegou a ele, na língua que aprendera naqueles anos de cativeiro. O guarda (sim, era um guarda) ordenava que ele se banhasse imediatamente, para ser levado à presença do rei.

O rapaz obedeceu. Ali estava algo que ele reconhecia ser bom: como aquela gente era limpa, perfumada, preocupada com estar sempre em ordem. Mesmo estando cativos, era-lhes oferecida a possibilidade de banhar-se todos os dias.

Caminhou até sua cela, pegou uma roupa limpa, seu pente e o pano para se secar. Foi até a sala das tinas. Na porta, outro cativo, um senhor de sua terra, preso na mesma ocasião, perguntou:

— Tens a pedra?

Não, a sua pedra havia acabado. Recebeu outra, nova e perfumada. Seguiram ambos para uma das tinas. Os dois juntos pegaram um enorme cântaro e verteram para dentro da tina a água limpa e fresca que estava nele.

— Bom, vou voltar para a porta. Até mais ver — disse o senhor.

O rapaz respondeu com um aceno de cabeça. Estava preocupado. A ordem para ver o rei, ao meio do dia, interrompendo a jornada de trabalho, dava-lhe uma sensação estranha, um misto de medo e curiosidade.

Descalçou as babuchas, deixou as roupas, o pente e o pano sobre o banco, pegou a pedra e mergulhou na água. O perfume da pedra de banho era tão bom quanto de costume. No entanto, os cheiros mudavam de acordo com a produção, ligada às estações do ano. O rapaz quase sentiu culpa. Sentia-se tão bem ao final de cada dia de trabalho, ao ir para a sala de banho e mergulhar na tina com sua pedra perfumada, que era como se não estivesse prisioneiro dos mouros.

Odiava os mouros, claro, era prisioneiro, não podia voltar para sua terra, tinha saudades imensas de sua mulher e de sua vida, de sua casa. Ao mesmo tempo, porém, havia coisas ali na moirama que o faziam desejar voltar para sua antiga vida, porém levando parte do que agora era também seu, como a pedra de banho e o chá de menta que era servido enquanto se trabalhava.

Terminou o banho, secou-se, vestiu as roupas limpas, enxugou a pedra de banho, penteou-se. Juntou as roupas sujas e voltou para sua cela para deixar seus objetos. O mesmo guarda já o esperava junto à porta. Ele deixou suas coisas arrumadas e acompanhou o guarda. Esse o levou até a porta da sala de audiências e disse ao oficial, responsável pela vigilância do aposento, que ali estava o rapaz que o rei desejava ver.

O oficial conduziu-o para dentro. Na sala repleta de almofadas e tapetes, o rei tomava sozinho um chá, enquanto olhava um enorme livro aberto, cheio de lindos desenhos. O rapaz já tinha visto passarem livros, carregados por criados pelos corredores do palácio, mas era a primeira vez em que encontrava um livro aberto. Que beleza! O rei levantou-se e falou com ele:

— Bom dia, meu rapaz. Estás há três anos conosco e observo como és inteligente e trabalhador. Meu mago me contou hoje o que viu em sua bola de cristal e que interessa diretamente a ti.

"Como assim? Alguma coisa que dizia respeito a mim, um simples escravo?", pensou o rapaz. O rei prosseguiu:

— Meu rapaz, tua mulher te julga morto em campo de batalha e irá se casar amanhã com outro homem.

O rapaz sentiu as pernas tremerem, o coração batia apressado, parecendo ter subido para a garganta. As lágrimas começaram a embaçar-lhe os olhos...

— Eu tenho uma proposta a te fazer. Eu te liberto e te ponho em casa a tempo de impedir o casamento, contanto que me faças um favor.

O desespero tomou conta do jovem:

— Favor, mas que favor? Sou prisioneiro e nada tenho de meu a não ser minha aliança de casamento. O que um homem como eu poderia fazer por um rei?

Ademais, o rapaz pensava que seria impossível chegar à sua casa em tempo. Quando fora feito prisioneiro, levaram dias caminhando até a moirama. Se, como o mago previra, o casamento seria no dia seguinte, tudo estava perdido.

— Acontece que tenho uma irmã que está encantada na tua terra. Quando eras ainda menino, nós ocupávamos um castelo no monte atrás da tua aldeia. Mas os cristãos vieram e, depois de muitas lutas, vimos que teríamos que partir. Conseguimos, ao longo dos meses, retirar as mulheres, os velhos e as crianças, que fugiram para cá aos poucos. Mas minha irmã quis ficar conosco até o final. A última batalha foi muito difícil e, para protegê-la, meu mago encantou-a numa grande pedra amarela, que fica nos fundos da casa em que cresceste, junto ao poço. Tivemos de deixá-la. Anos depois, tu viraste nosso prisioneiro, sem que eu desconfiasse de tua origem. Somente hoje meu mago descobriu essa informação ao ver a bola de cristal.

O rapaz lembrava-se do castelo, agora em ruínas, e da grande pedra que aparecera do dia para a noite nos fundos de sua casa, ao lado do poço (e da estranheza da família quando isso ocorrera).

— Meu rapaz, a magia é boa, mas os feitiços cobram seus preços... Os encantamentos de mouros em pedras pedem que algum cristão, nosso inimigo, tenha piedade e realize o desencantamento. O que é muito difícil de acontecer. E então, o que achas de ter a tua vida de volta em troca de libertar a minha irmã?

Diante da situação, pareceu ao rapaz que qualquer tentativa era válida e a possibilidade de voltar para casa, retomar sua vida, era boa demais.

— Aceito. Mas como chegarei de volta a tempo de impedir o casamento da minha mulher? O que tenho de fazer com a pedra ao lado do poço?

O rei sorriu, feliz pelo trato que começava a ser feito ali:

— Primeiro vais chegar do lado de fora da casa de teus pais. Tocarás a pedra com esta varinha e ela se levantará do lugar. Não ponhas tuas mãos na pedra em nenhum momento. Irás conduzi-la com a varinha, tocando-a para o lado que desejas ir. Vai até o rio e empurra com a varinha a pedra em sua direção. É só isso. A partir daí, estás livre, podes ir à tua casa e chegarás a tempo de impedir a realização do casamento.

O rapaz pegou a varinha mágica das mãos do rei, mas duvidava:

— Mas como chegarei lá? Minha terra é tão longe!

— Escolherás agora mesmo. Queres viajar no cavalo do vento ou no cavalo do pensamento?

— No cavalo do pensamento!

Afinal, nada poderia ser mais rápido do que o pensamento.

O rei balançou a cabeça positivamente.

— És inteligente, rapaz. Escolhe um presente daqui para levares à tua esposa.

— Uma pedra de banho!

O rei foi até a mesa, abriu uma caixa de madeira e tirou dali uma pedra de banho, que deu ao rapaz.

— Parte e sê feliz! Mas lembra-te: primeiro liberta minha irmã e somente depois segue ao encontro de tua esposa. Nem penses em fazer o contrário.

Quando o rapaz ia responder, o oficial já o pegava pelo braço e o levava para fora da sala.

O guarda esperava-o para conduzi-lo às cavalariças. Lá, à porta, disse-lhe:

— Tenho ordens para dar-te um cavalo. Qual vais querer?

— O cavalo do pensamento!

Veloz, o cavalo chegou e mais rápido ainda o rapaz o montou. Colocou a varinha mágica e a pedra de banho bem junto ao corpo, por baixo da camisa, e agarrou as rédeas.

— Eia, leva-me já para a casa de meus pais! — gritou.

Um redemoinho formou-se e carregou os dois. Em poucos instantes, o cavalo parou na frente de um portão.

— Ah, que maravilha, cheguei! — disse o rapaz, desmontando.

Era uma noite sem lua. Entrou pelo portão e, tomando cuidado para não ser ouvido, chegou perto do poço. Com a varinha, tocou a pedra, que se elevou do chão, como o rei dissera que iria acontecer.

Foi tangendo a pedra em direção ao portão; depois, atravessou-o, seguiu pela rua de terra e foi aldeia afora para os lados do rio. Lá chegando, colocou-se na margem e, tomando um impulso, empurrou a lateral da pedra com a ponta da varinha em direção ao centro do rio. A pedra pousou vagarosamente na água e abriu-se ao meio. Sentada num banco dentro dela estava uma bela moça, de cabelos negros, penteando-se com um pente de ouro. Ao ver o rapaz, acenou para ele. Ele acenou de volta e viu a pedra, agora transformada em embarcação, seguir até sumir de sua vista.

Tão logo isso ocorreu, ele desatou a correr na direção de sua casa. Pensou em montar o cavalo, mas dele não havia nem sinal desde o minuto em que apeara na frente do portão. Teve de contar com as próprias pernas e sabia que corria contra o tempo. Saíra de dia da moirama, no caminho o dia se tornara noite, e quem garantia a ele que já não tinham se passado dias ou meses desde que o cavalo do pensamento o trouxera? Podia já ser tarde demais.

Tomado de aflição, chegou à sua casa. Lá dentro havia barulho de festa, mas a porta estava trancada. Bateu com força.

Em poucos minutos, a voz de sua mulher respondeu:

— Quem é?

— Sou eu, seu marido.

— Não pode ser, meu marido morreu na guerra. Vai-te embora.

— Acredita-me, sou eu. Tenho aqui a minha aliança para provar...

Silêncio do outro lado. O rapaz, desesperado, golpeou a porta uma, duas, várias vezes.

Novamente ela respondeu:

— Então, se és mesmo meu marido, passa a tua aliança por debaixo da porta!

Ele obedeceu. Tremia, começando a duvidar de que estivesse ali de verdade. E se tudo não passasse de uma ilusão? Talvez ainda fosse um escravo na moirama... Com o coração apertado, tocou a pedra de banho ainda junto a seu corpo. Foi quando ela se tornou a única certeza de que realmente vivia acontecimentos tão inacreditáveis.

Por fim, chorando de alegria, a esposa abriu a porta.

Foram felizes por muito, muito tempo.

# O CANTO DA MORTE

Todo mundo morria de medo das ruínas do que um dia fora um imponente castelo mouro, destruído após os cristãos portugueses vencerem uma batalha e expulsarem seus inimigos. No entanto, isso ocorrera havia séculos e ninguém mais se lembrava direito dos detalhes. Apenas uma informação sobrevivera: que o fantasma do líder mouro, um alcaide, não abandonara o lugar, aterrorizando quem ousasse à noite passar por lá.

Se era verdade ou não, de uma coisa tinham certeza: só o alcaide poderia ser o responsável pela morte de algumas jovens. Casos raros, mas que aconteciam ao menos uma vez a cada punhado de anos, desde a vitória portuguesa. Poucas vezes os corpos foram encontrados e sempre nas ruínas, pela manhã, após as jovens sumirem durante a noite.

Por isso, todo cuidado dos pais era pouco em relação às suas filhas. Quando havia festa na aldeia vizinha, elas eram orientadas a voltar para casa em bandos, sempre acompanhadas por seus parentes homens. E, óbvio, tomavam o caminho mais distante possível das ruínas.

Uma dessas jovens, no entanto, não tinha o hábito de ir a festas, pois não sobrava tempo para isso. Ela vivia para as tarefas domésticas, os cuidados com a avó doente e os bordados, que vendia nas casas mais ricas da vizinhança. Era uma excelente bordadeira, com muitas encomendas para atender. Filha única, tinha um pai lavrador e viúvo que trabalhava de sol a sol em seu pedaço de terra para sustentar a família e arcar com a medicação da avó.

Numa madrugada, foi a vez de o homem cair doente, com uma dor forte no peito. A jovem não pensou duas vezes. Colocou um agasalho e saiu para buscar o médico, que morava na aldeia vizinha. Da janela, a avó gritou-lhe:

— Não passes pelas ruínas do alcaide!

E tomar um caminho mais longo? Demoraria tempo demais, o que poderia ser fatal para seu pai.

A jovem cerrou os dentes e fez sua escolha. As ruínas ficavam exatamente no trajeto mais curto entre sua casa e a aldeia vizinha. Não poderia evitá-las.

A madrugada, clara graças à lua cheia, não lhe dava medo. Foi andando, acelerada, a preocupação com o pai dominando seus pensamentos. Não viu o vulto sinistro que surgia nas ruínas...

De súbito, a intuição alertou-a. O coração bateu mais rápido, a jovem espiou o que sobrara do castelo mouro, enxergou o fantasma do alcaide, sentiu seu olhar aterrorizante... Um calafrio obrigou-a a correr.

No mesmo instante, vindas sabe-se lá de onde, nuvens negras cobriram o luar. O caminho à frente da jovem foi engolido pela escuridão. Apavorada, ela continuou correndo.

Tropeçou, quase caiu, equilibrou-se, retomou a fuga. Confirmou que ia na direção certa quando seus pés bateram nas águas rasas de um córrego.

Os sons noturnos e tão comuns desapareceram e um silêncio profundo instalou-se para ampliar o clima de pesadelo. Nem mesmo a própria respiração a jovem conseguia escutar.

Seus ouvidos foram aprisionados pela voz do alcaide, forte, sedutora, sobrenatural. Ele cantava uma música numa língua desconhecida, misto de tristeza e saudade.

Para a jovem, seria um canto de morte.

Sem perceber, ela diminuiu o ritmo da fuga. Foi parando, todo o seu corpo envolvido pela música, pela voz que a fascinava e a atraía. Parou e virou-se na direção das ruínas. O alcaide acenava-lhe, convidando-a a lhe fazer companhia. Um homem jovem, bonito e poderoso que jamais ouvira a recusa de qualquer mulher.

"Pensa, rapariga!", gritou a razão da jovem. "Ele deseja te arrastar para a morte!"

O alerta surtiu efeito. Não era um ser vivo que enxergava, mas um fantasma que desejava sua companhia para vagar eternamente pelas ruínas.

A voz tornou-se mais intensa, promessa de amor e paixão. Juntando toda a força de vontade de que era capaz, a jovem retrocedeu um passo.

— Não — murmurou.

Ele insistiu, chamando-a.

— Não — ela teimou.

A música não parecia ter fim.

Outro passo para trás, mais um. Ofegante, lutando contra a própria vontade de se entregar à ilusão, ela foi recuando. A preocupação com o pai, abafada pela presença do mouro, retornou aos poucos e ajudou-a a dar as costas para as ruínas.

Um sentimento de perda invadiu-a. Jamais seria beijada por aquele homem maravilhoso, jamais conheceria seu amor... Hesitou.

"Ai, rapariga, deixa de ser tonta!", cutucou-lhe a razão. "Melhor sozinha e viva do que iludida e morta!"

A jovem teve de concordar. Movida por sua determinação, recobrou o controle total sobre o corpo e, com pressa, impôs velocidade nas pernas. Correu muito.

A música, a voz e o fantasma ficaram nas ruínas.

Na aldeia vizinha, encontrou o médico e, acompanhada por ele, fez o mesmo trajeto, mas agora de volta para casa. O pai seria atendido, haveria mais remédios para comprar, ela teria de fazer mais bordados para cobrir as despesas, enfim, a vida seguiria sua rotina.

Ao novamente passar pelas ruínas do castelo, seguindo ao lado do médico, a jovem arriscou um olhar para o mesmo ponto em que avistara o fantasma.

Ele continuava lá. Não cantava, não a chamava, não tentaria mais atraí-la. Apenas sorria.

A jovem conquistara-lhe o respeito.

# O ABISMO DOS ENCANTADOS

Lá detrás daquela serra, há o vale mais florido de Portugal. No entanto, nem sempre foi assim. Era essa, no tempo dos mouros, uma das regiões mais secas da Península Ibérica. Dizem que se mudou no que hoje é por um milagre de amor, acontecido no tempo dos mouros.

A propriedade que daqui se vê, ladeada por aquela queda-d'água, pertencia a um velho mouro que vivia em um palácio com sua filha única e seus criados. A beleza da jovem donzela era famosa em todas as terras em volta, como também era famosa a determinação do velho mouro em não permitir que ela se casasse.

Um dia, entre os músicos que se apresentavam com frequência no palácio, um jovem se destacou aos olhos da donzela, um músico sublime, que tocava alaúde e cantava com a mais bela voz que ela já escutara.

O velho mouro também escutara as canções do jovem músico e, mais do que isso, seus olhos detectaram ali o perigo de mais um pretendente. Tratou, então, de apartar os dois jovens o quanto antes, dispensando os músicos mais cedo e dando ordens aos empregados para que pagassem bem todo o conjunto, mas que os pusessem para fora o quanto antes.

De nada adiantou sua providência. Noite após noite, o rapaz do alaúde postava-se embaixo da janela de sua amada a cantar lindas cantigas de amor.

O velho mouro enfureceu-se. Mandou que a princesa trocasse de aposentos, colocando-a num quarto voltado para os jardins internos. No entanto, nem assim a música do jovem apaixonado deixava de atingir os ouvidos de todos, noite após noite.

Vendo que nada poderia fazer se continuasse com aquela estratégia, o velho mouro resolveu consultar a filha e descobriu que ela amava o jovem músico. Na frente dela, conteve a ira, mas, de volta ao próprio quarto, despedaçou quase todos os móveis que ali havia. Depois, fingiu aceitar a situação e mandou que o jovem músico viesse falar com ele.

— Então, meu rapaz, o que pretendes com a minha filha?

O jovem não esperou por outra oportunidade. Disse logo que pretendia se casar com a donzela. Que era de boa família, tinha bens e propunha casamento imediatamente.

— Ah, livre-me Alá de contrariar a inclinação de duas almas que se amam, mas acontece que eu fiz um voto — disse o velho mouro.

A donzela, que estava a um canto da sala, ficou muito intrigada. Que voto seria aquele? Ela nunca soubera de nada. Perdera a mãe cedo, e ela nada havia dito sobre o assunto...

— Então, como pudeste notar, os meus campos são muito carentes de água — o velho mouro prosseguiu. — Por isso, quando minha filha nasceu, fiz o voto de que daria sua mão em casamento ao homem que transportasse, numa só noite, a nascente da Fonte do Canal, que dista daqui 13 léguas, para junto do meu castelo, que fica no alto desta montanha. Assim, a água poderia cair e irrigar todas as minhas terras. E é por esse motivo que não casei a minha filha até hoje.

O jovem músico ficou consternado.

— Treze léguas, vós dissestes?

E o velho mouro:

— Sim, sim, 13 léguas, nem mais nem menos. Achas que és capaz de fazer isso?

O rapaz mostrou-se muito triste, mas assegurou que iria tentar.

O que o velho mouro não sabia, nem ninguém mais por ali, era que o rapaz tinha como pai um poderoso mago, que não viu nenhum problema em conceder-lhe o pedido.

Mais tarde, por volta da meia-noite, o velho mouro despertou com um forte barulho de água bem junto da sua janela. Ao abri-la de par em par, deparou-se exatamente com o que pedira: a nascente da Fonte do Canal estava ali, e uma forte queda-d'água precipitava-se em direção ao vale, formando lá abaixo um rio. O velho mouro ficou furioso e ainda mais furioso conseguiu ficar ao olhar para as amuradas do castelo e ver ali todos, inclusive a filha, observando a queda-d'água. Vestiu-se às pressas e foi também ele pelos corredores. Quando chegou às amuradas, ouviu os versos que o jovem músico cantava, acompanhado por seu inseparável alaúde:

*Viva Alá, que é meu pai um bom mouro*
*Moura mãe me deu de mamar*
*Moura fada fadou-me um tesouro*
*Moura virgem me tem de o entregar*

Descontrolado, o pai agarrou a filha pelas pernas e atirou-a muralha abaixo, exatamente em cima do jovem músico, que tentou ampará-la e, enfim, caiu com ela e tudo na forte torrente d'água.

Não pense que eles morreram; ah, isso não. Foram encantados pelo pai do rapaz, o mago, e nas noites de luar saem de braços dados de dentro da queda-d'água e são vistos passeando nas amuradas do castelo, sempre felizes, sempre juntos.

Quanto ao velho mouro, dizem que também está encantado e vaga por ali, mas nunca consegue se encontrar com o casal feliz, porque só aparece em noites de tormenta, ocasiões em que caminha pelas amuradas cantando, orgulhoso e soberbo:

*Eu sou o mouro Dinis*
*Não fiz mais porque mais não quis*
*E quem dinheiro tiver*
*Fará em sua vida o que bem quiser.*

E o povo da região segue amando os namorados encantados e odiando o velho mouro, que acha que sua vontade é maior do que tudo.

# O Castelo de Salir

Por centenas de anos, os mouros governavam aquelas terras e se vivia em paz e harmonia. As lutas entre mouros e cristãos, porém, pôs fim aos séculos de alegria e felicidade. O alcaide da região olhava pela janela de seu castelo para os campos à frente. Via a aproximação do exército cristão sem reagir. Dessa vez tudo se tornara irremediavelmente perdido: estavam vencidos de antemão. O mais sábio a fazer era ordenar a partida. Deveriam partir, ou *salir*, como se dizia naquela região, para salvar o máximo de vidas, enquanto ainda fosse possível. Assim sendo, o alcaide foi castelo adentro ao encontro de seus habitantes e, em poucos minutos, escutava-se o vozerio:

— *Salir*, *salir*, devemos todos *salir*. Para o monte, todos!

O alcaide foi até os aposentos de sua única filha e deu-lhe a triste notícia:

— Filha minha, luz de meus olhos, amor de minha velhice. Toma tuas joias todas e põe-nas num saco. Vamos todos em direção do monte e dali eu nos levarei por encanto de volta para África, de onde vieram nossos antepassados. Anda, sem demora! Junta-te às mulheres e parte.

E, após beijar-lhe a testa, saiu para ver se todos tinham recebido a mensagem.

Foram momentos de grande tensão:

— A *salir*, a *salir*, toda a gente!

Menos de uma hora depois, os cristãos entravam pelo castelo vazio. O plano do alcaide funcionara bem, o resultado fora quase perfeito.

Um comandante, dos primeiros a entrar no castelo, andava de sala em sala, maravilhado com o luxo e a riqueza. Biblioteca, salas para trabalho de copistas, com manuscritos abertos ainda com os potes de tinta sobre as bancadas, salões, sala de música com instrumentos. O chá ainda servido em copos ricamente decorados e abandonados a meio...

Ao entrar num quarto que dava para um grande jardim interno, descobriu, no centro do jardim, junto à fonte, uma jovem ajoelhada. Pensou tratar-se de uma visão. Desceu as escadas correndo até ela. Era a filha do alcaide, que se deixara ficar ali, orando.

— Minha jovem, o que fazes?

A moça abriu seus olhos e mirou o invasor:

— Rezo para que Alá nos proteja e expulse os invasores.

O comandante empalideceu.

— Imploro que partas, imediatamente. Ou terei de fazer-te cativa. Os cristãos tomaram todas as terras desta região.

Do alto do monte, o alcaide começou a pronunciar as palavras mágicas para o encantamento dos que com ele fugiriam. Ao olhar em direção do castelo, deteve-se no jardim. Não, não era possível... Ali estava sua filha, ainda com as belas vestes cor de púrpura, como a encontrara horas antes. Por Alá, ela não fugira!

Dali mesmo apontou para ela, dando-lhe o dom da invisibilidade. Depois voltou-se para os seus e reiniciou o ritual. Antes que pudesse concluir o que estava fazendo, sentiu a pressão dos dedos da filha em seu braço esquerdo. Desencantou-a e, abraçado a ela, foram todos magicamente de volta para a África.

Enquanto isso, no castelo, o comandante tentava, em vão, explicar a seus comandados que encontrara a castelã ali, mas que ela desaparecera como por artes mágicas. Os soldados persignaram-se uma e outra vez.

— *Salir, salir*, os mouros gritavam — disse um soldado.

— Deve ser esse o nome deste castelo — respondeu o comandante, ainda perplexo.

Nunca mais ele se esqueceu do que ocorrera quando adentrou aquele que ficou conhecido como Castelo de Salir.

Os
RAMOS
MÁGICOS

Havia um reino árabe em terras que hoje formam parte de Portugal. No norte, os cristãos portugueses reuniam-se e planejavam reconquistar seu território, perdido séculos antes para aqueles que chamavam de "o outro", ou seja, o mouro, um povo que consideravam diferente deles mesmos por ter uma língua, uma cultura e uma religião próprias. Com tantas diferenças, os dois povos preferiam o caminho da intolerância.

O rei desse pedaço árabe na Península Ibérica era um grande guerreiro que não deixava espaço para o amor em seu coração.

Até que, numa noite, sonhou com uma bela jovem cristã de pele muito clara, longos cabelos loiros e fascinantes olhos azuis.

— Sonhastes com uma princesa portuguesa — explicou sua conselheira, uma minúscula fada que o acompanhava desde a infância.

A boa amiga sempre sabia de tudo. O rei franziu a testa, aborrecido. Nem sempre seguia seu conselho e, dessa vez, preferia nem descobrir qual seria.

— É um sonho que muito depressa esquecerei — decidiu, dispensando-a.

Não conseguiu esquecer.

O sonho voltou noite após noite, como também voltou para a princesa portuguesa que, no norte, sonhava com o rei muçulmano de pele morena, cabelos escuros e fascinantes olhos negros.

— Vós estais ligados um ao outro — explicou a fada quando ele novamente a chamou para conversarem.

— E como isso é possível?

Ela se limitou a sorrir. A magia do amor sempre será a mais inexplicável das magias.

— Vede, meu senhor — disse-lhe, entregando-lhe dois ramos. — Um deles tem a flor de murta, que significará para vós o amor. O outro, a flor de louro, que representará para vós o ódio. Se vosso coração alimentar o amor, a murta florescerá, enquanto o louro murchará. Mas, se vosso coração preferir o ódio, ela murchará, enquanto o louro florescerá.

— E o que me interessa saber se...?

— Vossa amada espera por vós no mosteiro do norte, em terras cristãs — ela avisou antes de bater as asas transparentes e sumir em um ponto de luz.

Não era exatamente um conselho, porém o rei não pôde ignorá-lo. Vestiu-se com trapos para parecer um mendigo e, sem mais resistir ao inevitável, viajou sozinho para o norte. A alguma distância do mosteiro, escondeu seu cavalo atrás de um grupo de árvores na margem esquerda da estrada e foi a pé encontrar seu destino.

Sujo e faminto como estava, foi recebido pelas freiras junto a outros miseráveis que sempre iam ao local atrás de um suculento prato de sopa. No pátio do mosteiro, mais um numa longa fila, avistou a princesa que vivia em seus sonhos. Ela saía da capela, ajeitando a trança que lhe prendia os cabelos.

Então, como se sentisse o olhar do rei sobre ela, estacou. Buscou-o com os olhos, ansiosa e trêmula, e abriu um sorriso imenso quando o encontrou.

O rei foi até ela; a princesa foi até ele. Pararam um diante do outro.

— Eu vos amo tanto... — ela sussurrou, tomando a iniciativa.

Ele também a amava, muito mais do que a própria vida. E só descobria a intensidade do sentimento naquele encontro.

Não avaliou o perigo que corria se fosse descoberto. Nada valia mais a pena do que a princesa à sua frente.

— Vinde comigo — ele pediu, estendendo-lhe a mão que ela não hesitou em segurar.

Abandonaram o mosteiro sem olhar para trás, todos os outros estavam ocupados demais para perceberem a fuga.

— Os guardas do meu pai virão atrás de nós — ela se preocupou.

Foi o que aconteceu.

Correram, de mãos dadas, até o cavalo oculto pelas árvores. O rei subiu na sela, colocou a princesa na garupa, e partiram em disparada. Inúmeros guardas do rei português atravessavam o portão de ferro do mosteiro para persegui-los. O casal não teria nenhuma chance de escapar. A não ser que a fada interferisse.

E ela interferiu. Nos limites dos reinos português e árabe, fez surgir um castelo encantado, que se tornou invisível no instante em que o rei e a princesa nele entraram. Os guardas, enfurecidos, tiveram de regressar de mãos vazias ao mosteiro.

Lá, no castelo encantado, o rei e a princesa aprenderam a conviver com suas diferenças. Ele tinha sua religião; ela, a dela. Ele quis conhecer a cultura da princesa; ela, a cultura do rei. Aprenderam mais um sobre o outro e foram muito felizes.

Um dia, o rei lembrou-se de olhar os ramos que guardara entre seus pertences. Sorriu ao constatar que a murta florescera, enquanto o louro murchara. O amor estava vencendo.

Fora do castelo encantado, a situação piorara para os árabes. Os portugueses acumulavam vitórias em todas as batalhas contra eles e agora tentavam invadir o reino do rei muçulmano.

— Não posso abandonar minha gente — ele disse para a princesa.

Apesar do medo de perdê-lo, ela aceitou sua decisão. Despediu-se dele com um beijo apaixonado.

— Sempre esperarei por ti, meu amor — jurou-lhe, impedindo as lágrimas a muito custo.

O rei partiu antes do amanhecer, direto para o campo de batalha. Se os portugueses vencessem, os líderes árabes seriam executados e seu povo acabaria expulso ou dominado.

Como o poderoso guerreiro que era, ele derrubou inúmeros adversários, dando esperança de vitória para quem o seguia.

A batalha, entretanto, foi decidida quando um golpe fatal lançou o rei muçulmano por terra. Consciente da morte tão próxima, ele retirou de trás de seu peitoral metálico os dois ramos mágicos que carregava junto ao coração. O ódio, alimentado por tantos corações naquela batalha, inclusive o dele, fizera o louro florescer. A flor de murta morria...

No último segundo, os pensamentos e o coração do rei foram para sua princesa. Como consequência, a murta voltou a florescer e o louro foi murchando até secar.

O rei pereceu naquele campo de batalha, ao lado de muitos outros guerreiros árabes e portugueses. Portugal estava prestes a se transformar em um único reino cristão.

No castelo encantado, dizem os pessimistas, a princesa ainda chora, à espera de seu rei. Há quem conte, porém, que a boa fada novamente interferiu na história, conduzindo o rei são e salvo para os braços da amada.

# A COBRINHA DOURADA

A jovem crescera ouvindo histórias sobre mouras e mouros encantados que pediam algum favor aos portugueses e, se atendidos, retribuíam com pedaços de carvão. Um presente que os beneficiados descartavam pelo caminho, sem lhe dar qualquer importância, e só descobriam que o carvão virava ouro quando chegavam em casa e achavam alguns pedacinhos dele que tinham sobrado em seus bolsos ou na cesta que carregavam. Claro que saíam correndo à procura do que tinham jogado fora, porém nada mais encontravam.

Nunca a jovem imaginou que um dia também encontraria seu mouro encantado.

Ela se casou com um bom homem e lhe deu dois filhos, um menino e uma menina, que cresciam saudáveis e cheios de energia. Como camponeses, viviam do que seu trabalho e a terra produziam.

No começo de uma tarde ensolarada, quando a jovem se dedicava a lavar a louça do almoço e o marido e os filhos já tinham retornado ao campo, uma cobrinha dourada entrou em sua cozinha.

No lugar de sair correndo e berrando, apavorada, ou então arrumar uma vassoura para golpeá-la, a jovem aproximou-se, curiosa. Sempre gostara de répteis e aquele, em especial, pareceu-lhe encantador, com uma coloração que nunca vira antes.

A cobrinha deslizava em direção ao pote de leite que ela deixara no chão para o gato gorducho da família. Ele bebericara um pouco do líquido e fora dormir enrodilhado na cama de uma das crianças.

Com sede, a cobrinha tomou o que sobrara e virou-se para a jovem. Queria mais.

Como se servisse um convidado, a jovem fez-lhe a vontade e encheu de leite o pote. Após sorvê-lo com rapidez, a cobrinha, agora satisfeita, deu meia-volta e foi embora.

Se contasse às crianças o que acontecera, elas ficariam com medo do bichinho e ainda teriam pesadelos. O marido, para protegê-las, acabaria matando-o. A jovem, então, optou pelo silêncio. Aquele seria seu segredo.

No dia seguinte, no mesmo horário, a cobrinha apareceu. Pediu leite, foi atendida e depois partiu. E isso virou rotina, repetindo-se diariamente durante três meses.

Na última vez em que foi visitá-la, a cobrinha parou na porta da cozinha, a que dava para o quintal, e moveu a cabeça como se a convidasse a segui-la. Boquiaberta com tanta esperteza, a jovem foi atrás dela. Saíram e percorreram uma trilha que terminava aos pés de uma colina. Magicamente uma porta abriu-se entre as rochas.

Amedrontada, a jovem recuou. No mesmo instante, a cobrinha dourada transformou-se em um menino mouro de uns seis anos de idade, vestido com uma túnica dourada, calças brancas e sapatos de bico curvo. Usava um gorro vermelho na cabeça, que escondia parte de seus cabelos negros.

— Não tenhas medo — ele pediu. — Por ter me alimentado, tu me libertaste do encantamento.

— Encantamento?

— Vivi muito tempo dentro desta colina e só podia sair daqui transformado em cobra.

A jovem cerrou as sobrancelhas e analisou-o de cima a baixo. Concluiu que o menininho não representava nenhum perigo para ela.

— Voltarás a ser cobra? — perguntou.

— Não. E tudo graças a ti.

Sorriram um para o outro.

— Agora finalmente poderei encontrar minha mãe — ele comemorou, feliz.

— E onde ela vive?

— No Oriente.

— Mas é muito longe! Como irás até lá?

— A magia cuidará disso.

O menino contou que um feiticeiro o encantara, separando-o da mãe que fugia dos soldados portugueses. Ela não pôde vir buscá-lo e o filho, desde então, passara dia após dia à sua espera.

— Por que o feiticeiro te encantou?

— Para que eu ficasse tomando conta do tesouro dele — disse o menino, apontando para o que havia atrás da porta.

Ingenuidade de criança confiar a um adulto aquele segredo. Se fosse ambiciosa e egoísta, a jovem poderia enganá-lo e apoderar-se de tudo.

Ela não sentiu vontade de espiar o tal tesouro. Abaixou-se para ficar da mesma altura do menino e acariciou-lhe o rosto, agindo como a mãe que ele em breve veria de novo.

— Não contes isso para mais ninguém — aconselhou. — O tesouro agora pertence a ti. Leva-o para tua mãe.

— Tu é que não podes contar nada sobre mim! Demorarei três meses para chegar ao Oriente. Se descobrirem que existo, a magia traz-me para cá e novamente viro um prisioneiro.

Se contasse, ninguém acreditaria nela mesmo...

— Não falarei nada — a jovem prometeu.

E retornou para casa raciocinando que, se a magia gastaria três meses para carregar o menino e seu tesouro, na certa na colina escondiam-se arcas e mais arcas cheias de ouro... O feiticeiro, sem dúvida, fora muito rico.

Ela não viu mais o menino, mas, aflita, pensava nele todos os dias. E se algo lhe acontecesse durante a viagem? A magia cumpriria a parte dela, entregando-o em segurança para a mãe? E se ela já tivesse morrido? Os mouros tinham partido de Portugal havia tanto tempo...

Após três meses de espera e preocupações, a jovem despertou numa madrugada com a voz do menino em sua cabeça. "Já estou em casa, com minha mãe!", ele lhe confiou, empolgado. "Vai agora mesmo até a colina. Há um presente para ti..."

Sem fazer barulho, ela escapuliu das cobertas, deixou a família adormecida e foi até o local. A porta de pedras estava aberta. Lá dentro, arcas e mais arcas cheias de ouro estavam à sua espera.

O menino não levara uma única moeda.

# MOURA
# APAIXONADA

Naquele ano, o calor chegou à aldeia antes do tempo. Nem bem começava junho e, durante os preparativos para os festejos dos santos do mês, o jovem casal de noivos sonhava o casamento para logo, assim que passasse o Dia de São João.

O padrinho estava já convidado: o solteirão da aldeia, muito amigo e herdeiro recente de uma velha tia que morrera solteira.

— Aquela família é mesmo estranha, comadre! Tantos solteiros, tantos. Vai ver é maldição de mouros! — comentava uma viúva que ajudava sua comadre a pregar uma fieira de bandeirinhas numa corda, que logo seria estendida entre duas árvores no Largo da Igreja.

— Nem me digas, comadre! Ainda mais nessas épocas, dos festejos de junho, em que as mouras encantadas se alvoroçam, na esperança do desencantamento!

O noivo passou pelas velhotas, sobraçando mais uma caixa cheia de bandeirinhas recortadas:

— Minhas senhoras, minhas senhoras, o São João ainda está longe. Vamos arrumar isto tudo hoje mesmo para festejarmos Santo Antônio! — disse ele, deixando a caixa sobre a mesa.

— Diz lá, rapaz, as bodas são mesmo para o final do mês, são?

A noiva chegou-se à conversa:

— Pois são sim, senhoras, e estais convidadas, logo a seguir a São João, antes que chegue o Dia de São Pedro!

— Ai, desejo as felicidades, menina! A aldeia toda espera para ir ao casamento! — disse a primeira comadre.

— E também pelos doces! — completou a segunda.

Terminada a arrumação, os noivos sentaram-se de mãos dadas na praça.

— Meu amor, não sei como havemos de arranjar dinheiro para a festa do casamento, mal consegui arranjar as coisas para a nossa casa! — avisou o noivo.

— Ora essa, não te preocupes tanto. Temos um bom padrinho. Há de ajudar com qualquer coisa. Vai lá ter com ele, que tenho de ir provar o vestido ainda.

Despediram-se e lá se foi o rapaz para o café, em busca dos amigos e, especialmente, de seu padrinho.

— Olha quem está a chegar! É o noivo do mês! — saudou o próprio, que estava sentado sozinho a beber um copo de vinho.

— Em boa hora te vejo. Vamos tomar um copinho? — convidou o noivo.

— Vamos, vamos. Que bom convite, que já anoitece e eu ia mesmo em busca de ti.

Pediram as bebidas e o noivo disse:

— E então, ias à minha procura?

O outro se debruçou sobre a mesa e disse, baixo:

— Ia, ia, em busca de ti. Sabes que junho é o mês em que aparecem mouras encantadas, não é?

O noivo desatou numa gargalhada.

— Claro, amigo, claro. Como é mesmo? Minha avó sempre conta isto: na noite de São João podemos ver e desencantar mouras, que nos aparecem em penhascos e fontes, penteando os longos cabelos com um pente de ouro, ou então segurando nas mãos uma tesoura. Não é isso? — e riu ainda mais.

— Não rias, meu rapaz, que esta terra foi lugar de mouros e dizem que há por aqui muitas mouras encantadas. Eu mesmo acho que vi uma moura perto da meia-noite no Moinho Velho, numa dessas noites quentes, voltando para minhas terras.

— Deve ser que estavas com os copos, amigo — disse o noivo ainda se divertindo.

— Mas é a sério que te ia a buscar hoje exatamente para saber se queres fazer comigo uma aposta.

O noivo mostrou-se sério.

— Aposta, que aposta?

— A moura falou comigo. E tinha nas mãos o tal pente de ouro. Eu queria pedir para que passasses nesta noite pelo Moinho Velho perto da meia-noite, a ver se a encontras tu também.

— E o que queres apostar?

— Teu presente de casamento, o que mais? Vai esta noite ao Moinho Velho e ali espera que o relógio bata a meia-noite. Se não te aparece a moura pela frente, estarás com sorte. Dou-te a minha casa grande, a da quinta, como presente de casamento e me mudo para a minha casinha aqui da aldeia. Aquela quinta tem tudo. Além de couves e alfaces, há umas árvores de boa fruta e ainda as gaiolas com os coelhos que vendo aqui a toda a gente da aldeia.

O noivo ficou pensativo:

— Tua quinta é a mais bonita da região! Mas não sei, amigo, não sei...

— Estás com medo, é? Não te culpo.

— Medo, eu? E de moura encantada? Ora, isso são histórias! Está bem, mas vamos chamar cá uma testemunha dessa aposta.

Assim fizeram.

Naquela noite, pouco depois de baterem as 11 horas, o noivo se pôs a caminho do Moinho Velho.

— Essa é boa, coisas desse meu amigo. Vai ver que me quer assustar e vai pregar-me uma peça lá no moinho. Pois que me aguarde. Se me aparece qualquer fantasma desconhecido, vou para cima dele e quero só ver!

A lua cheia iluminava os campos que o noivo ia atravessando a passos largos, pensando no casamento, na bela quinta prometida pelo padrinho, na sua noiva e na possibilidade de dar aos convidados uma festinha simples, aproveitando ali na praça a arrumação para as comemorações dos santos de junho.

Pouco depois avistou o velho moinho abandonado, suas paredes brancas refletindo o luar.

— Que bonito é isto aqui em noites como esta! — disse para si. — Agora é só sentar e esperar pela meia-noite.

Sentou-se sobre uma pedra e esperou. Começou a se lembrar das histórias todas de mouros e mouras que sua avó contava. A da moura da cisterna, a do mourinho do barrete vermelho, a dos primos mouros que se encontravam porque estavam prometidos em casamento, mas foram encantados antes...

Tão perdido estava em suas lembranças que não percebeu a jovem que dele se aproximava.

— Ah, vieste! — ela disse. — Que bom!

O noivo caiu da pedra. Ao se levantar, viu-se frente a frente com uma jovem muito bela, vestida com roupas mouriscas. Tinha os cabelos longos e pretos. Numa das mãos, trazia um pente de ouro.

— Quem és? — ele perguntou, trêmulo, já cheio de medo de ouvir a resposta.

— Sou a moura encantada que vive neste moinho. Minha gente fugiu dos cristãos e eu fiquei para trás. Meu pai, temendo por mim, encantou-me na esperança de um dia voltar para me resgatar. Não conseguiu...

— Que horror! Então as histórias que minha avó contava eram verdadeiras?

A jovem moura pensou um pouco:

— Não ouvi as histórias da tua avó, só sei da minha história. E ficarei aqui até que um cristão de bom coração me desencante.

Ele sentiu imensa pena da encantada:

— Mas o que é preciso fazer? Algo em que eu possa te ajudar?

A moça olhou-o fundo nos olhos:

— Se desejares é possível. Aquele que desejar me desencantar terá de me abraçar na beira de um rio e ainda ferir-me com uma faca embaixo do braço esquerdo.

— Bom, detestarei ferir-te, mas, se assim o quiseres, eu te desencanto hoje mesmo. Isto é, se não for preciso esperar pela noite de São João. Senão também espero e te liberto.

— Não! Não será preciso esperar. Meu encantamento pode ser quebrado em qualquer dia do mês de junho. Porém, tem mais uma coisa.

— Que coisa?

— Aquele que me desencantar deverá partir comigo imediatamente para junto dos meus, que hoje estão em África.

— África? — repetiu o rapaz, muito assustado.

— Sim, os meus antepassados voltaram todos para a África quando foram expulsos pelos cristãos...

Ele sacudiu a cabeça negativamente.

— Desculpe, não posso fazer isso. Estou comprometido e vou me casar em poucos dias.

— Mas comigo também podes ser feliz. Eu te vi muitas vezes, passando pelo moinho, rindo e conversando com teus amigos... Sei que seríamos felizes juntos.

— Sinto muito, não posso mesmo. Amo minha noiva e vou mesmo me casar com ela.

Lembrou-se, então, de quem o enviara.

— Mas tenho o meu amigo, que apostou comigo para vir cá...

A jovem suspirou.

— Bem sei, mas é de ti que eu gosto. Ele sabe de minha história, mas também sabe que é contigo que eu gostaria de ficar.

— Mas não será possível. Sinto muito. Fica com ele, que é sozinho e pode te levar para junto dos teus. Eu já vou, adeus!

E partiu sem olhar para trás, mas escutando os soluços da moura que chorava.

Dias depois, passado o São João, casaram-se os noivos. Receberam de presente do padrinho a quinta. Quanto a ele, o solteirão da aldeia, desapareceu sem deixar vestígios.

Nunca mais foi visto.

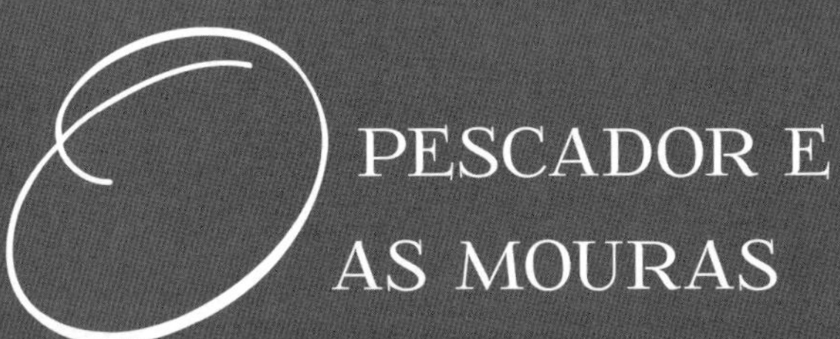

# O PESCADOR E AS MOURAS

Um jovem pescador dizia não ter medo de nada. Como lembrava a todos com bastante frequência, já enfrentara de cabeça erguida a fúria do oceano e até vários monstros marinhos. Jurava uma vez ter escutado o canto das sereias em alto-mar e resistido corajosamente à tentação de afundar com elas. Só faltava sobreviver às mouras malignas que se escondiam em um castelo abandonado, no alto de um penhasco próximo àquela vila pesqueira. Segundo contava o povo, elas sempre apareciam em noites de tempestade. Quem cruzasse seu caminho era encontrado morto na praia, na manhã seguinte.

Apesar de nenhuma vítima estar viva para confirmar, falavam que as mouras malignas eram belíssimas, capazes de enfeitiçar com sua formosura qualquer ser vivo.

— Comigo elas não têm chance! — afirmava o pescador, batendo no próprio peito. — Não existe mulher mais linda do que minha noiva.

A noiva em questão era mesmo muito bonita. Surgira numa tarde na praia, sozinha, sem família e conhecidos, possivelmente a única sobrevivente de algum naufrágio.

Na primeira noite de tempestade, lá foi o pescador subir o penhasco, passar pelo que sobrara do imenso portão de ferro do castelo, enferrujado e corroído pela maresia, e entrar no pátio interno tomado pelo mato.

Como não avistou nenhuma moura, resolveu chamar por elas. Ninguém apareceu.

Mesmo encharcado pelo temporal, com trovões e raios estalando acima de sua cabeça, o pescador não quis desistir tão facilmente. Foi quando um buraco no chão despertou-lhe o interesse. Era a abertura de uma antiga cisterna, que armazenava a água doce consumida pelos antigos moradores do castelo.

Ele espiou seu interior e, culpa da noite, nada conseguiu enxergar. Entediado, pegou uma pedra e lançou-a pela abertura apenas para ouvir o barulho que ela fez ao bater no fundo da cisterna, invadida pela água da chuva.

Já estava considerando a possibilidade de não existirem mouras malignas e de tudo não passar de invencionices do povo. Obviamente não retornaria à aldeia sem uma excelente história na ponta da língua, sobre como enganara fabulosas criaturas sobrenaturais que...

Engoliu em seco. A primeira moura surgira diante dele, iluminada pelo clarão de mais um relâmpago, estonteante de tão sedutora. Outras também brotaram do nada e cercaram-no. Oito, nove delas, talvez mais... Ou menos. Quem se importaria em contá-las?

Sob as luzes dos relâmpagos que se seguiram, sorriam, cantavam uma melodia hipnótica, dançavam para agradá-lo, girando e trocando de lugar como se o prendessem numa rede invisível, de onde ele não tinha nenhuma vontade de escapar.

— Deixai meu noivo em paz! — gritou alguém.

Zonzo, o pescador não conseguiu focalizar sua noiva; apenas reconhecera sua voz. A escuridão era completa, como se até os raios temessem estragar aquele confronto.

— Já viveste conosco — disse uma das malignas.

O movimento à volta do pescador cessara. Pela primeira vez, ele sentiu o cerco opressivo de que era vítima.

— E nos traíste ao nos abandonar — disse outra.

"Ahn? Minha noiva... E-ela... Ela é uma moura encantada?", o pescador recusou-se a acreditar nos próprios ouvidos.

— Como ousas nos enfrentar? — rugiu uma terceira.

Um último raio teve coragem suficiente de trilhar um pedaço de céu muito próximo, produzindo por segundos a luminosidade necessária para revelar o que as trevas escondiam.

Horrorizado, o pescador viu a verdadeira aparência das malignas, o que incluía sua noiva. Rostos distorcidos por bocarras recheadas de dentes pontiagudos, olhos brilhantes de fera, garras no lugar das unhas das mãos...

Ele gritou, desafinado, igual a uma criancinha medrosa, e perdeu a consciência.

Não assistiu à luta medonha que viria.

Bem mais tarde, com o sol batendo vorazmente contra sua pele, ele despertou. Estava na praia, vivo e sem um único arranhão. A noiva conseguira salvá-lo.

Sem pressa alguma, ele se dirigiu à aldeia, com sua melhor história na ponta da língua.

Nunca mais encontrou a noiva. Não que a tenha procurado, na verdade.

Melhor assim. Numa história em que se gabava de ter vencido sozinho as mouras malignas do castelo abandonado, não havia mesmo espaço para uma heroína.

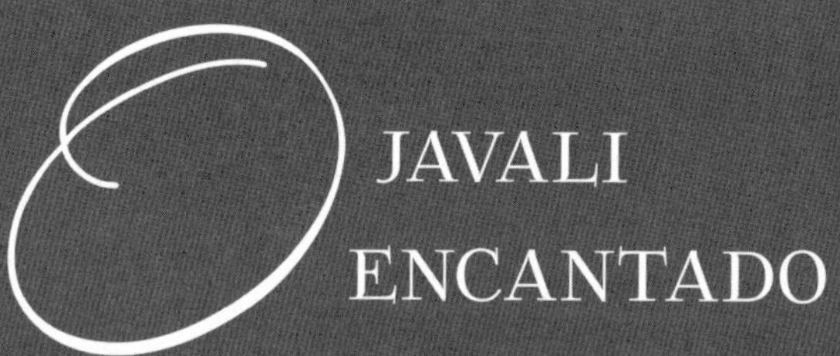

# O JAVALI ENCANTADO

Como fazia todos os dias, um pastor levava suas cabras para pastar em um dos dez outeiros que rodeavam a região. Naquela manhã, a rotina foi quebrada pela presença de um javali que abriu a boca e foi direto ao assunto que lhe interessava:

— Tens uma filha que pode me desencantar.

O pastor arregalou os olhos, estupefato. O bicho falava!

— Não sou exatamente um javali, mas um dos dez guerreiros mouros encantados em javali, cada um deixado em um outeiro para vigiar os portugueses.

Aos poucos, o pastor digeriu as informações.

— Espera lá! — esbravejou, por fim. — Quem disse que podes incluir minha filha nas tuas tramoias?

— Observo as atitudes de tua filha desde que ela era pequena. Tenho certeza de que somente ela poderá nos libertar e...

— Pois trata de procurar a filha de outro e bem longe daqui!

Com seu bastão, pôs-se a espantar o javali. Como não adiantou, surpreendeu-o com uma faca, que usou para lhe provocar um corte na altura da garganta. Não precisou de muito mais para que ele sumisse de vista.

Temeroso pela segurança da filha, o pastor largou as cabras com um vizinho e foi correndo para casa. Tinha de matar aquele mouro antes que fizesse algum mal à moça!

Foi o que tentou fazer na manhã seguinte, após mandá-la não colocar nem a cabeça para fora da janela.

— O que tanto temeis, meu pai?

— Não me faças perguntas! — ele retrucou.

E deixou o local armado com uma foice.

Última filha solteira do pastor que enviuvara recentemente, ela entendia o excesso de proteção paterna. Obedeceu-lhe, permanecendo dentro de casa o dia inteiro.

Ao final da tarde, uma respiração ofegante levou-a até a porta. Abriu-a. Deitado no chão, havia um javali ferido. O corte, na altura do pescoço, parara de sangrar, mas enfraquecera-o bastante.

A moça, com pena dele, foi buscar sua cesta com ervas medicinais. Usou um pano limpo, embebido em vinho, para limpar o ferimento, tratou-o e finalizou com um curativo. Agradecido, o javali fitou-a antes de, juntando o que lhe sobrara de forças, afastar-se cambaleante na direção de um dos dez outeiros.

Com um aperto no coração, ela resistiu à vontade de levá-lo para dentro de casa. O pai não gostaria nem um pouco de descobrir que a filha agora tratava de javalis. Nunca entendera direito por que desde menina ela trazia para casa cachorros doentes e abandonados, aves de asas quebradas e qualquer outro animal que precisasse de sua ajuda.

— Vives enchendo nossa casa de bichos! — reclamava. — Qualquer dia desses não haverá espaço para mim!

Por sorte, naquela semana não havia nenhum paciente animal em tratamento. Caberia um javali se fosse necessário.

Temendo ser repreendida, a moça guardou para si a visita do novo paciente quando o pai retornou, à noitinha, bufando de raiva por não ter encontrado seja lá o que procurava.

No dia seguinte, novamente ele pegou a foice e saiu após mandá-la permanecer em casa. Ela obedeceu, porém fez questão de deixar a porta estrategicamente entreaberta.

No fim da tarde, o javali apareceu, empurrou a porta com o focinho e foi até a moça. Permitiu que ela lhe trocasse o curativo, mais uma vez dirigiu-lhe um olhar de gratidão e, a passos seguros, foi embora.

— Ele parece gente... — refletiu a moça.

Novamente o pai retornou à noitinha, bufando de frustração. Horas mais tarde, ainda de madrugada, ele abandonou a companhia da filha, foice na mão e determinado a encontrar o que procurava.

O dia nasceu, a manhã passou e, antes que a tarde terminasse, o javali veio, empurrou com o focinho a porta que a moça deixara entreaberta e foi até ela. Um novo curativo não era mais necessário, para seu espanto. Nunca vira um ferimento se curar tão rápido!

— Muito obrigado — disse o javali antes de se transformar em um guerreiro mouro.

Ela cobriu a boca, sufocando um grito.

— Não te farei mal algum — ele garantiu, mostrando-lhe as mãos desarmadas e retrocedendo para aumentar o espaço entre os dois. — Tua bondade libertou-me do encantamento.

— Mas...

— Pena que eu seja apenas um simples guerreiro. Não possuo nenhum tesouro para te recompensar.

A moça respirou profundamente, controlando o medo.

— Não cuidei de ti em troca de riquezas — afirmou.

— Eu sei — ele sorriu. — A bondade guia tuas ações.

Com uma reverência profunda, agradeceu-lhe a ajuda. Depois, endireitou-se e, receoso do modo como ela reagiria a um último pedido, mordeu o lábio inferior.

— Voltarás para o Oriente? — a moça não pôde deixar de perguntar.

— Sim. Mas antes irei ao encontro de minha esposa, que foi encantada em um lugar não muito distante dos dez outeiros.

— Conseguirás libertá-la?

O mouro assentiu. Precisaria de sua bondade para resolver outro problema.

— Há mais javalis encantados — murmurou. — Fui um dos guerreiros deixados em cada um dos outeiros.

— Sobraram nove guerreiros... — ela contou.

— Poderias ajudá-los?

Para isso, a moça teria de driblar a rabugice do pai, suas atitudes superprotetoras; encheria a casa de bichos... Enfim, por que não?

Travessa, ela esboçou um sorriso.

— Darei um jeito — disse, confiante.

E foi o que fez, saindo às escondidas do pai para resgatar os javalis, cuidar deles e desencantá-los. Um a um, devolveu-lhes a liberdade. E um a um eles foram partindo, em busca das próprias aventuras.

A última filha solteira do pastor casou-se anos mais tarde com o médico da aldeia mais próxima. E continuou cuidando com carinho e dedicação dos vários animais doentes e feridos sempre presentes em sua vida.

Nenhum, porém, foi tão especial quanto seu primeiro javali encantado, o guerreiro mouro que lhe mostrou o valor da bondade.

# O CONQUISTADOR CONQUISTADO

Havia um príncipe mouro bonito, poderoso e muito valente, dono das terras em volta da Serra da Nó. Sua fama espalhava-se igualmente por possessões mouras e cristãs: conquistador de terras e de corações, provocava inveja em seus inimigos e arrancava suspiros das mulheres por onde quer que passasse. Tinha na guerra e na conquista seus desafios constantes, desejando sempre apoderar-se de territórios para os mouros e fazer-se amado por belas mulheres, fossem elas mouras ou cristãs.

Certa vez, quando voltava de mais uma batalha vitoriosa, já em suas terras, avistou ao longe uma graciosa figura feminina. Era uma pastora que tangia seu rebanho. Pouco depois, veio-lhe a ideia de andar sozinho pelos campos para encontrar-se com ela. Deixou armas e montaria com seu exército e partiu leve e despreocupado, dando ordens para que se armassem os festejos noturnos em que comemorariam um novo território conquistado.

— Ah, e mandai deixar vago um lugar a meu lado, que levo hoje uma convidada especial!

Os companheiros riram, já prevendo que o príncipe iria atrás de mais uma bela jovem para conquistar (e para abandonar em breve, como de costume).

O jovem príncipe não precisou andar muito. A pastora parara a fim de descansar um pouco e estava sentada sob a sombra de uma árvore, olhando placidamente para os animais que pastavam.

— Bom dia, menina! — disse o príncipe.

Ela se levantou e, baixando a cabeça, respondeu:

— Bom dia, senhor meu príncipe.

A conversa não foi muito além disso. Para desgosto do príncipe, ela se desculpou, disse que estava na hora de recolher os animais, deu-lhe as costas e foi cuidar da vida. Ele até pensou em impedi-la, mas, afinal, era um príncipe e resolveu manter sua pose de soberano. Voltou para o castelo algo perturbado. Ao jantar, festejou, bebeu e, aos companheiros que perguntaram pela *convidada*, respondeu:

— Era feia, enfim! Deixei-a ficar onde estava.

Todos riram.

No dia seguinte, no entanto, o príncipe chamou o chefe da guarda, descreveu a pastora, disse onde a encontrara e mandou que a buscassem e a trouxessem à sua presença.

Suas ordens não tardaram a ser cumpridas. Poucas horas depois, estava ele na sala de música ouvindo seu cantor preferido quando o guarda surgiu à porta. Mandou que entrasse. Veio o guarda conduzindo a moça, que tinha um ar muito contrariado.

O príncipe ordenou uma pausa e que oferecessem chá aos músicos no jardim, para que descansassem um pouco. Assim que todos saíram, fez sinal para que apenas a pastora se aproximasse.

— Olá de novo, menina! Aceitas um chá?

Ela fez que não com a cabeça.

— Gostas de música? Meus músicos descansam um pouco, mas voltarão logo...

— Vós sabeis, senhor príncipe, que estou aqui porque me mandastes buscar, mas não quero saber de música nem de mais nada. Quero voltar para a serra, pois meu trabalho está à espera.

Ele ficou muito surpreso. Não estava acostumado a que o contrariassem. Ainda mais uma mulher, pastora de suas terras, súdita, portanto.

— Olha, tenho uma bela vida a te oferecer neste castelo, sem tantos trabalhos, sem cansaço. Boa música, bons poetas declamando poemas, os melhores manjares...

A jovem nem deixou que continuasse:

— Mas sabei, senhor príncipe, que nada disso me interessa. Só me interessa minha vida mesmo e vós estais a me atrapalhar. Tenho muito que fazer. Posso ir agora?

Agora o príncipe estava mais do que surpreso. Estava assustado e, mais do que isso ainda, verdadeiramente furioso.

— Agora é que ficas mesmo, por bem ou por mal! Guarda!

O guarda veio correndo da porta:

— Prende já esta insolente! Amanhã deves trazê-la à minha presença para ver se já recobrou o juízo e a boa educação.

A pastora ficou pálida, mas não disse nada e deixou-se levar.

No restante daquele dia, não houve o que animasse o príncipe. Aborrecido, mandou os músicos embora. Foi ouvir seus sábios e logo se cansou. Dirigiu-se à sala dos copistas, que copiavam enormes livros. E, pela primeira vez, não achou graça em vê-los no trabalho. Mostraram-lhe novos desenhos, lindas iluminuras em livros saqueados de um mosteiro cristão. No entanto, nada o entusiasmou...

— Estou indisposto hoje, deve ser o calor! Amanhã eu volto.

Nem amanhã nem depois de amanhã, porém. Começara ali uma batalha nova para o príncipe acostumado a ter sempre tudo o que queria, e aquela a pastora não o deixava vencer.

Dia após dia, ela era trazida à presença do príncipe e, dia após dia, se mostrava indiferente a convites e insinuações, respondendo sempre com firmeza e sem nenhuma sombra de medo. Depois de algumas semanas, com o pretexto de fiscalizar as condições em que eram mantidos os prisioneiros, ele foi até a cela em que a pastora estava encarcerada. Ordenou ao guarda que abrisse a porta e, após entrar, mandou que ele se afastasse.

— Quando eu quiser sair — acrescentou —, grito para que venhas.

Assim foi feito. A jovem estava triste e abatida, mas ainda assim se levantou para cumprimentá-lo.

— Bom dia, senhor príncipe.

Somente naquele momento, ele percebeu que agira muito mal. Havia feito prisioneira uma jovem que nada fizera de errado...

— Bom dia, menina. Vim restituir-te a liberdade.

Ela levantou a cabeça, surpresa.

— Não fizeste nada de errado, o errado fui eu. Não soube como chegar ao teu coração. Embora o maior prisioneiro seja eu, que amo sem ser amado, jamais poderia ter feito o que fiz. Estás livre. Vou mandar que te levem à tua casa agora mesmo.

Os dois ficaram se olhando por um momento, e pareceu ao príncipe vislumbrar uma faísca nos olhos da amada pastora. Chamou o guarda e resolveu tentar uma última vez, de outra maneira:

— Podes ir agora mesmo. Mas, sabes de uma coisa, os músicos irão mostrar-me novidades daqui a pouco. Vieram de uma corte da Provença e trazem novas músicas. Gostarias de ouvir um pouco antes de partir?

A jovem assentiu.

Ouviram as composições, conversaram e veio o chá. Chegou o momento de cear, cearam e conversaram mais. O príncipe sugeriu que, como era tarde, ela poderia ser sua hóspede e voltar para casa na manhã seguinte.

Em poucos dias, aconteceu o casamento do príncipe com a pastora, agora tornada princesa. Seria muito bom contar que foram felizes por longo tempo, mas essa não seria a verdade. Foram, sim, muito felizes, mas por pouco tempo.

A sorte na guerra mudou de lado e os cristãos avançaram cada vez mais. Os mouros construíram túneis subterrâneos para que os habitantes do palácio pudessem escapar em caso de um cerco inimigo. O príncipe participou de duras batalhas, porém um dia foi vencido e teve de recuar. Mais algumas horas e os cristãos estariam às portas do palácio. Ele ofereceu a todos os seus súditos a opção de partir. Quase todos foram. Ao seu lado permaneceu a princesa.

— Querida, não há saída. Estás disposta a ficar comigo aqui?

— Pela eternidade? Sim!

Ele a beijou pela última vez.

— Pela eternidade não sei, mas talvez por muito tempo...

Então, pegou um livro sagrado, quebrou os sete selos que o lacravam, abriu e começou a ler as palavras mágicas. Ajoelhou-se sete vezes beijando o chão. Por sete vezes despediu-se das suas terras e do mundo. Por fim, deu a mão direita à sua amada princesa e, com a esquerda, fez desenhos no ar, sinais mágicos que completaram o encantamento.

Pouco depois, chegavam os cristãos ao local onde estaria o antigo palácio.

No seu lugar, só havia uma montanha.

A
MOURA
DOS FIGOS

Na época em que, derrotados, os mouros tiveram de fugir dos cristãos, uma jovem e bonita moura foi sequestrada por um cruel nobre português. Ela fazia parte das riquezas que ele saqueara dos inimigos, uma joia rara que trancou numa das torres de seu castelo, ao norte do reino.

De tristeza, a moura morria a cada dia um pouquinho.

A esperança veio com um punhado de figos que uma criada lhe trouxe às escondidas. Na dúvida, a moura provou um deles. Confirmou que não se tratava de um figo qualquer, mas, sim, de um originário do sul e que não existia no norte. Eram figos da região do Algarve, das terras que tanto amava.

Aquelas frutas só podiam significar uma coisa: a jovem seria resgatada. A própria criada confidenciou-lhe que as recebera de um rapaz mouro...

"Meu noivo!", deduziu a moura, permitindo que a felicidade a envolvesse.

Mais tarde, ao visitá-la na torre, o nobre português percebeu aquela mudança de humor, apesar do esforço de sua prisioneira para ocultá-la. Furioso, humilhou-a como de costume e maltratou-a ainda mais. Reforçaria a vigilância ao redor dela.

Horas depois, o noivo invadiu sorrateiramente o castelo, acompanhado por seus melhores guerreiros. Protegidos pela noite, derrotaram quem estava em sua rota até a torre, lutando, ferozes, para sobreviver e cumprir uma missão tão arriscada.

Na torre, para sua surpresa, não havia ninguém. Quando tentaram retroceder, foram encurralados por inúmeros guardas, o que os deixou em esmagadora minoria. Um a um, os mouros tombaram mortos. O único sobrevivente, o noivo, foi poupado para que o próprio nobre o executasse diante da moura, levada para outra torre.

— É isso o que acontece a quem me desafia — disse o nobre após tirar a vida do rival.

Quanto à moura, permaneceu prisioneira em sua nova torre. Ninguém mais ousaria resgatá-la.

A tristeza voltou a consumi-la, porém não a guiou até a morte. Um encantamento arrebatou-a, assim como os figos que ela guardava.

Mesmo hoje, após tantos séculos, contam que, nos campos do norte de Portugal, quem encontrar um punhado de figos secando numa esteira ao sol deve apanhá-los sem hesitação. Se ao menos um deles se transformar numa moeda de ouro, é porque pertencem à moura encantada.

Somente dessa forma ela será libertada e poderá regressar ao sul, para as terras do Algarve que já foram árabes.

O CRISTÃO E
O MOURO

Capturado pelos mouros durante uma batalha em solo português, um cristão foi levado para o Oriente e lá vendido como escravo. Seu dono, um califa, possuía muitos outros escravos, tanto muçulmanos quanto cristãos, que ele tratava como mercadorias a serem exploradas até a morte.

O cristão passava o dia quebrando pedras, seus pulsos e tornozelos sempre presos por correntes, ao lado de outros homens vigiados por guardas mouros. À noite, era obrigado a dormir dentro de uma arca de madeira, que servia de cama para um desses guardas.

A rotina terrível esgotava o cristão, mas era o guarda quem o ajudava a sobreviver. Ele aumentava a quantidade de sua única e miserável refeição diária e lhe servia água sem que vissem. Não podia fazer mais nada, pois também era um escravo à sua maneira. Temia ser punido pelo califa por proteger um cristão.

— Não é certo escravizar as pessoas e ainda matá-las de tanto trabalhar — costumava dizer ao cristão quando era obrigado a mandá-lo entrar na arca para dormir. — Reza para teu Deus que eu orarei para Alá.

E ambos faziam suas orações, todas com um mesmo pedido: o fim daquela vida injusta.

— Eu gostaria de terminar meu poço — contou o cristão uma vez.

— Que poço?

— Um que eu construía quando fui convocado para lutar nas tropas do meu rei. Prometi à minha mãe que o terminaria.

Numa manhã, finalmente suas orações foram atendidas. E de uma maneira, no mínimo, inacreditável.

O guarda despertou primeiro, estranhando a luz do sol em seu rosto. Não estavam mais no palácio do califa, no aposento úmido e escuro onde dormiam os escravos e seus guardas.

Confuso, ele se ergueu da arca e se firmou sobre as pernas. Avaliou o campo arado em que se encontravam, as colinas pontilhadas pelas casinhas de uma aldeia, o vento com o gosto do mar muito próximo, os sinos de uma igreja que repicavam a distância...

— Acorda, cristão! — disse ele, batendo três vezes na tampa da arca com os nós dos dedos. — Acho que voltamos para teu mundo...

A arca foi aberta lentamente, o homem em seu interior espiando tudo, muito atento. Que brincadeira mais sem graça era aquela?

Com cautela, ele saiu. Também avaliou o campo arado em que se encontravam, as colinas pontilhadas pelas casinhas de uma aldeia, o vento com o gosto do mar muito próximo, os sinos de uma igreja que repicavam a distância...

— Não pode ser... — murmurou. — Estamos no meu reino! Como viemos parar aqui?

— Pedimos mudança em nossas orações, não foi?

— E ela veio...

— O que significa que não és mais um escravo.

Dito isso, o guarda pegou o molho de chaves que carregava pendurado ao cinturão e, com uma delas, libertou das correntes o cristão. Este riu e chorou ao mesmo tempo, depois caiu de joelhos, soluçando de felicidade.

— Estamos pertinho da minha casa — disse ao recuperar o controle após longos minutos. — Vem comigo e serás muito bem recebido por minha família!

O guarda aceitou o convite e pôs-se a fazer planos. Poderia trabalhar como mercador. Via excelentes oportunidades de comércio entre o Oriente e o Ocidente. Mais tarde, quando tivesse reunido alguma fortuna, iria se casar com uma mulher do seu povo, formariam uma família com muitos filhos. Não pretendia mais ter patrão, principalmente um desumano e autoritário.

Antes, porém, havia um último serviço para realizar.

— E quanto ao poço, cristão? Queres ou não minha ajuda para terminá-lo?

O cristão levantou-se, aplicou-lhe um tapinha camarada nas costas e ambos seguiram até a aldeia.

No entanto, a família do cristão e seus vizinhos não reagiram como ele esperava. Trataram de acorrentar os pulsos e os pés do guarda mouro; seria sua vez de ser um escravo.

E foi como escravo que ele terminou sozinho o poço, trabalhando horas e horas sem descanso. Na sequência, emendou outro trabalho e passou a quebrar pedras durante o dia, vigiado pelo cristão. À noite, era obrigado a dormir dentro da mesma arca de madeira que viera com eles.

A rotina terrível esgotava o guarda, mas era o cristão quem o ajudava a sobreviver. Ele aumentava a quantidade de sua única e miserável refeição diária e lhe servia água sem que vissem. Não podia fazer mais nada, pois também era um escravo à sua maneira. Temia ser julgado pela família e pelos amigos por proteger um mouro.

— Não é mesmo certo escravizar as pessoas e ainda matá-las de tanto trabalhar — costumava dizer ao guarda quando era obrigado a mandá-lo entrar na arca para dormir. — Reza para Alá que eu orarei para Deus.

E ambos faziam suas orações, todas com um mesmo pedido: o fim daquela vida injusta.

Numa manhã, finalmente suas orações foram atendidas. E de uma maneira, mais uma vez, inacreditável.

A arca sumiu, despachada diretamente para terras árabes, onde o guarda despertou para recuperar sua liberdade. Já o cristão permaneceu em sua aldeia, torturado pelo medo de admitir publicamente que os outros só se tornam inimigos se tanto eles quanto nós assim escolhermos.

Parece que o poço existe até hoje e por muitos anos abasteceu com água da melhor qualidade os moradores daquela região.

Uma obra construída por mãos muçulmanas e cristãs.

A FONTE
DAS IRMÃS

Esta história aconteceu numa primavera, há muitos séculos, nas terras distantes do Algarve, em Loulé. O território, até pouco tempo árabe, era constantemente atacado pelos exércitos cristãos, em busca da conquista e expansão de territórios para formar um novo reino. Do alto de seu castelo, o governador de Loulé olhava, por uma luneta, os campos de mais uma batalha, prevendo que os remanescentes do exército que lutava contra os cristãos acorreriam para sua fortaleza.

Um mensageiro chegou com a confirmação do que seus olhos já divisavam: os cristãos venciam e os muçulmanos batiam em retirada exatamente naquela direção...

Caberia acolher o exército, cuidar dos feridos e resistir, ao menos enquanto fosse possível.

O governador foi conversar com os homens sábios. Também para eles tudo parecia mesmo perdido. Tratava-se agora de salvaguardar os tesouros, guardar os livros; talvez fosse preciso encantar todo o reino!

Preocupado, pensou em suas três belas e amadas filhas: Zara, Lídia e Cássima. Deixou os sábios e foi procurá-las no jardim interno, onde elas aprendiam novos poemas enquanto as amas penteavam e trançavam seus cabelos.

Ao vê-lo se aproximar, as três correram em sua direção:

— Pai, como estão as coisas? Vencemos os cristãos? — perguntou Zara.

— Diz, pai, nosso exército já os venceu? — secundou Lídia.

Cássima observou o semblante carregado do governador.

— Estás ferido, meu pai? — perguntou.

— Não, Cássima, não estou ferido. Ainda...

As jovens baixaram as cabeças.

— Faro já tombou, está sob o domínio cristão — ele prosseguiu. — Estamos perdendo, filhas. Em poucas horas chegarão os nossos aliados, feridos para que tratemos deles. Não sei mais quanto tempo teremos. Devo tomar decisões.

As jovens abraçaram o pai, que pediu para que fizessem suas orações e o acompanhassem imediatamente.

Saíram por uma porta secreta no fundo do castelo e caminharam juntos até uma nascente de água, a fonte de Loulé.

Muitas vezes antes, nos verões, eles haviam trilhado aquele caminho, alegres, seguidos por músicos e criados, a fim de passar a tarde junto à nascente, ao lado de um vistoso canavial. A doçura do lugar só trazia boas recordações aos quatro.

— Minhas filhas, aqui estais seguras. Ficai juntas e sabei que eu voltarei para vos buscar. Essa guerra estúpida não durará para sempre.

As jovens choravam, sem saber o que iria acontecer. O governador abriu seu livro de orações e disse as palavras mágicas de encantamento. Uma a uma as jovens foram ficando transparentes, até que desapareceram. Ele se debruçou sobre a fonte. No fundo d'água viu a imagem das três meninas, acenou um adeus, virou-se e partiu.

Voltou, então, para o castelo e lutou bravamente ao lado dos seus homens. Na última batalha, quando confirmou que tudo estava perdido, juntou seus homens e, após um encantamento, transportou-os de volta à África, terra de seus antepassados. Ali refizeram todos a vida, longe do tormento cristão. Somente ao antigo governador a vida não poderia correr bem. Pusera as filhas em segurança, encantadas na fonte, mas agora precisava buscá-las.

Estava velho e sentia-se cansado demais, mas começou a buscar em seu novo círculo de pessoas alguém que pudesse ajudá-lo. Deveria ser um cristão, exigência para a quebra do encanto que ele mesmo lançara.

Cristãos ali? Sim, era possível encontrá-los entre os cativos, que eram vendidos em mercados de escravos. Ao antigo governador fazia muito mal a ideia da escravidão, como achara desde sempre a luta entre árabes e cristãos uma grande bobagem na qual se perdiam muitas vidas. No entanto, ele não tinha escolha. Precisava achar alguém que fosse cristão e que conhecesse Loulé. Semana após semana, ia o homem ao tal mercado e pedia daqui e dali informações sobre aqueles pobres homens que seriam vendidos. Finalmente, um dia reconheceu um deles. Comprou-o e levou-o para casa.

— Lembro-me de ti — disse-lhe. — Carpinteiro em Loulé, não é verdade?

— É sim, senhor. Também eu me lembro bem de vós, o senhor governador, não é?

— Sim, sim, mas faz muito tempo...

— Vós éreis um governador bom e justo. Sempre tivemos liberdade de professar nossa fé cristã em vossas terras. E vivíamos bem. Até virem as batalhas, até a guerra destruir nossas vidas.

O antigo governador mal pôde conter as lágrimas.

— Meu bom carpinteiro, preciso muito de ti, de tua ajuda!

— Mas como, senhor? Sou apenas um escravo e antes disso era um humilde carpinteiro. Como poderia vos ajudar?

— Pois pode, pode sim. Só tu podes ajudar-me. Estamos em junho e, na noite de São João, que será daqui a alguns dias apenas, precisas ir até a fonte de Loulé. Sabes onde fica? Ao lado do canavial?

O carpinteiro balançou a cabeça, de modo afirmativo. O antigo governador prosseguiu:

— Aqui estão três pães. Chegarás a Loulé e irás para tua casa esperar pela noite de São João. Esconde os pães em algum lugar seguro e não fales deles a ninguém. Quando anoitecer, na noite de São João, pega os pães e vai para a fonte. À meia-noite, jogarás cada um deles por separado na água. Ao jogar o primeiro, dirás "Zara". Ao jogar o segundo, dirás "Lídia". Por fim, ao jogares o terceiro, dirás "Cássima". Depois disso, volta para tua casa e serás para sempre rico e abençoado.

O carpinteiro pareceu, então, muito triste.

— Meu bom governador, Deus sabe que eu tudo faria para vos ajudar, mas estamos tão longe, em terras africanas. Levei meses sendo trazido até aqui após atravessarmos o mar num barco. Como eu poderia chegar a Loulé em tão poucos dias? Isso é impossível...

O antigo governador deixou o aposento e voltou dali a alguns minutos, com uma bacia de água.

— Impossível não há, meu bom homem! Vou pousar esta bacia aqui, atrás de ti. Serias capaz de, num salto para trás, sem olhar, alcançar o outro lado sem derramares nenhuma só gota d'água?

— Sem dúvida, meu senhor! — garantiu o carpinteiro.

— Então, toma esta sacola, nela estão os pães. Repete os três nomes de mulher que eu te disse e parte. Quando terminares de saltar para trás estarás em Loulé! Mas atenção, esta bacia é o oceano, se errares o salto morrerás afogado.

O carpinteiro tomou a sacola e pendurou-a num dos ombros. Analisou a água por alguns instantes. Calculou mentalmente o salto. Virou-se para o antigo governador:

— Adeus, senhor governador. Estou pronto. Não errarei. Os nomes são Zara, Lídia e Cássima. Posso saltar?

O antigo governador assentiu.

— Que Alá te proteja!

O carpinteiro saltou e algo inusitado aconteceu. Sentiu-se transportado pelo ar, soprado pelo vento por um tempo que não saberia determinar quanto. Depois, subitamente, foi pousado no solo. Ao olhar em volta, deu-se conta de que estava nos arredores da própria casa.

Que felicidade foi a sua volta! Sua mulher chorou de alegria, sem acreditar.

O carpinteiro apressou-se em perguntar:

— Em que noite estamos?

— Vinte de junho, marido. Por quê?

Ele desconversou, pediu roupas limpas e disse estar com fome. Enquanto todos na casa se movimentavam para festejar tão inusitado retorno, ele foi ao seu quarto e guardou a sacola com os pães numa arca que fizera para colocar ferramentas.

Muito aflito passou aqueles dias, à espera da noite de São João. Sua mulher, por seu lado, perguntou muito como ele conseguira regressar, que caminhos tinha feito, como fugira... E ele desconversava, dizia-se ainda cansado para falar sobre o cativeiro e a fuga.

Quando a mulher ia ao rio lavar as roupas que o marido vestia naquela noite, lembrou-se de que ele trazia consigo uma sacola. Onde estaria ela?

Procura que procura pela casa, ela acabou por encontrá-la escondida na arca. Viu os pães em seu interior.

— Ora, por que meu marido não me falou nada sobre eles? Vou já ver se tem algo dentro.

Dizendo isso, foi com a sacola para a cozinha, pegou um dos pães e abriu-o com uma faca. Ouviu-se um grito de mulher e gotas de sangue começaram a pingar do miolo. A mulher apavorou-se. Fechou-o, secou o sangue com um pano, voltou a colocar os três pães na sacola, foi ao quarto e devolveu a sacola à arca, deixando-a na mesma posição em que a encontrara.

O marido nada percebeu.

Chegou a noite de São João. Quando o sino da igreja de Loulé bateu 11 horas, o carpinteiro pegou a sacola e deixou a casa sem ser visto por ninguém. Todos participavam de uma festa na praça principal. Uma grande fogueira fora erguida, conforme o costume antigo.

O carpinteiro caminhou até a fonte e lá ficou à espera. Naquela noite especial, os sinos da igreja eram tocados de hora em hora até exatamente a meia-noite.

No horário previsto, o carpinteiro pôs a mão na sacola, apanhou um pão, jogou-o na fonte e gritou:

— Zara!

Da fonte surgiu uma figura diáfana de jovem mulher, que acenou para ele e subiu aos céus num instante.

O carpinteiro jogou o segundo pão e gritou:

— Lídia!

Outra figura de mulher surgiu das águas, acenou para ele e subiu aos céus desaparecendo em seguida.

O carpinteiro, então, jogou o terceiro pão e gritou:

— Cássima!

Uma figura de mulher subiu das águas, triste e chorosa. Apareceu somente até a cintura e mirou os olhos do carpinteiro:

— Cássima? — ele quis confirmar.

— Sim, sou eu. E por culpa da tua mulher não posso deixar a fonte.

Ele ficou muito espantado.

— Como assim? Da minha mulher?

— Sim, da tua mulher. Ela encontrou a sacola e abriu o meu pão para ver o que ele tinha dentro. E agora condenou-me a ficar aqui eternamente encantada...

O carpinteiro não podia acreditar naquilo.

— Eternamente? Ficarás presa aí para sempre?

— Sim, sim, para sempre! Mas não penses que eu os quero mal, pois não é verdade. Toma este presente — e a moura tirou da cintura um cinto todo em ouro, cravejado em brilhantes — e leva-o à tua mulher.

Quando o carpinteiro ia agradecer pelo presente, viu Cássima sumir de volta na água. Ouviu-se um lamento fundo e impressionante.

Ele guardou o cinto na sacola e voltou sem pressa para casa. No céu, avermelhado pela luz da grande fogueira, estrelas brilhavam intensamente. Ele se sentou sob a copa de um carvalho, pensando na infeliz Cássima, na promessa que fizera ao antigo governador e que ficara meio por cumprir. Afinal, conseguira resgatar duas das três filhas. Mereceria ainda a recompensa prometida? Seria, dali em diante, um homem rico? Ou seria amaldiçoado pela indiscrição de sua mulher? Que sorte a da sua mulher, enfim, ele levaria o único presente.

Pôs a mão na sacola e pegou o cinto. Que lindo era! Resolveu prendê-lo ao redor do tronco do carvalho para contemplá-lo.

— Que beleza! — disse.

Nem bem disse isso, o cinto cortou o carvalho ao meio.

É o que também teria feito à mulher do carpinteiro. Assustado, ele desatou a correr para casa e só parou lá dentro, com a porta bem fechada. Foi ao quarto, em busca da mulher, que já tinha voltado da festa.

Abraçou-se a ela e contou-lhe todo o sucedido.

— E agora, mulher, o que fazemos? Será que a moura Cássima virá nos amaldiçoar?

Seu medo, porém, foi em vão, pois nada aconteceu a eles. Nem a vingança da moura Cássima nem as bênçãos e as riquezas do antigo governador. Viveram, o carpinteiro e sua mulher, uma vida das mais comuns até o final de seus dias.

No entanto, muitos são os que dizem que, em noites de São João, a moura Cássima aparece na fonte e conta sua triste história a quem estiver disposto a ouvi-la.

# AUTORAS

**Susana Ventura** é doutora em Estudos Comparados de Literaturas de Língua Portuguesa, pela Universidade de São Paulo, e pesquisadora do Centro de Literaturas Lusófonas e Europeias da Universidade de Lisboa (Clepul) e do Centro de Pesquisas sobre os Mundos Ibéricos Contemporâneos (Crimic), da Sorbonne (Paris IV). Autora de *Convite à navegação: uma conversa sobre literatura portuguesa* e *Eu, Fernando Pessoa em quadrinhos* (ambos pela Editora Peirópolis), *O Príncipe das Palmas Verdes e outros contos populares portugueses* e *O tambor africano e outros contos dos países africanos de língua portuguesa* (ambos pela Editora Volta e Meia).

**Helena Gomes** é jornalista, professora universitária e autora de 32 livros, como a adaptação *Tristão e Isolda* (Berlendis, 2010, Selo Altamente Recomendável pela FNLIJ, finalista do Prêmio Jabuti, selecionada para o PNBE e os programas Apoio ao Saber e Minha Biblioteca), *Sangue de lobo* (DCL, 2010, escrito em parceria, finalista do Prêmio Jabuti e escolhido para o PNBE), *Assassinato na biblioteca* (Rocco, 2008, PNBE e Minha Biblioteca) e *A donzela sem mãos e outros contos populares* (Escrita Fina, 2013, Selo Altamente Recomendável pela FNLIJ), entre outros.

Este livro foi impresso, em primeira edição,
em setembro de 2015, em pólen 80 g/m², com capa em cartão 250 g/m².